KB121471

여러 번의 탈피에도 아픔을 알지 못했다.

천천히 내 안의 마지막 껍데기를 벗었다.

普遍生涯

보편생애

玄蛾鳴

보편생애

현아명 장편소설

目 次

普遍生涯

죽음이 임박했습니다.

본 문서를 작성하는 목적은 하나입니다. 억측과 오해의 소지를 없애고 당사자 나 자신이 모든 것을 설명하기 위함이며, 곧 죽음을 해명하기 위함입니다. 따라서 이 글을 읽는 모든 이들은 입장을 불문하고 이 글의 내용을 절대적으로 신용하셔야 합니다. 그렇지 않고 조금이라도 의심을 한다면 이 글과 나의 죽음이 온통 헛된 것으로 변질될 겁니다. 죽음 앞에서 나는 한 치의 거짓도 이 글에 담을 이유가 없다는 것을 기억하십시오.

내게 남은 힘을 전부 동원할 것이기에 기나긴 글이 될 것입니다. 생색 내는 것은 아니니 애써 읽어 주실 필요도 없겠습니다. 나는 그저 내가 할 수 있는 마지막 행동을 취하는 것입니다.

/ 一 /
정 상

나의 삶을 다자이 오사무의 그것과 감히 비할 수 없겠으나 내게 그의 문장을 빌릴 수 있는 특권을 허락한다면, 참으로 부끄럼 많은 생애를 살았다는 명문名文으로 서두를 열겠습니다. 지금까지의 내 삶의 모든 단편들은 그 결말이 나 개인의 부끄러움이었습니다. 끊임없이 실수를 반복했고, 그것이 오로지 나의 부끄러움으로 귀결되고 나서야 나는 행위를 멈추곤 했습니다. 내가 정상이었다면 이러지 않았어야 했습니다.

그럼에도 주위 사람들은 나를 정상인으로 취급했습니다. 혹은 그랬을 것입니다. 혹은 그렇게 취급하고자 했을 것입니다. 내가 그러한 피상적인 정상에 오르기 위해, 혹은 오른 것처럼 보이기 위해 어떤 인고의 노력을 거쳤는지는 아무도 알지 못할 것입니다.

그렇다면 정상이란 무엇이며 그것이 피상적일 수 있는 원리를 먼저 밝혀야겠습니다. '정상'은 지극히 사회적인 개념입니다. 이 개념은 사람으로 하여금 스스로의 생명 존속뿐 아니라 사람이 모여 형성된 사회 존속을 위해 만들어졌습니다. 이는 사회의 안정적인 존속이 개체의 생물학적 생존에 직접적인 영향을 미치는 인간 고유의 특징에서 유래했습니다.

사회는 '정상'이라는 슬로건을 앞세워 구성원 개체에게 안정과 소통을 제공했고 그 대가로 개체들에게서 소정의 개별성을 거두어 갔습니다. 개별성의 징수는 대개 교육과 법제로써 실행됩니다. 그렇게 만들어진 세상에서 남들과 다른 지점이 지속적으로 발생한다면, 그리고 그러한 다름이 사회 존속에 조금이라도 영향을 미치는 종류의 것이라면 그것은 다수의 이익을 위해 응당 도태시켜야 할 종자가 될 겁니다.

사회적 다수의 힘에 의해서 나는 비정상이란 낙인이 찍혔습니다. 나를 통제할 수 없는 돌연변이로 취급하는 시선들이 조금씩 보이기 시작한 겁니다. 그들은 도덕적 고점을 사수하기 위해 절대 그것을 겉으로 드러내지 않았습니다. 그들은 그렇지 않은 것처럼 말하고 행동하지만, 내가 그들의 시선에서 느끼는 바는 명확합니다. 가면을 써도 눈은 완전히 가릴 수 없는 법입니다.

— 작품 없는 예술가의 자서전 中.

사회는 이러한 종자들을 '비정상'으로 분류했습니다.[1] 어째서 이들이 비정상이 되었는지는 정확하게 알 수 없습니다. 근대 이후의 정신분석학이 이에 관하여 나름대로 연구해 왔겠으나 그 이유를 정확히 알 수 없는 근본적인 까닭은, 사람을 사회적 정상으로 주형하는 수단, 곧 교육과 법제 역시 사람이 행하는 것이며, 사람을 비정상 개체로 만드는 것 역시 사람이기 때문입니다. 심지어 정상과 비정상을 정의 및 판별하는 '사회'도 결국 사람 스스로입니다. 정상과 비정상의 양립은 원인도 해결 방법도 모른 채 끊임없는 격세 유전의 굴레를 벗어날 수 없는 것입니다.

그래서 비정상 개체에게 주어진 삶은 비참합니다. 이들이 처음부터 스스로 비정상임을 알고 있던 것은 아닙니다. 대신 이들은 오로지 '자각'에만 의지해야 합니다. 끝까지 자각하지 못하는 경우 이들은 이유도 모른 채 강제로 도태되며, 도중에 자각을 한다면 계도 기간을 거쳐 다시금 정상으로 거듭나거나 기약 없는 도피 생활을 시작하게 됩니다. 대개 도피해야 하는 비정상 개체들은 그들의 비정상성이 노골적으로 드러나지 않는 경우입니다. 고로 정상 개체들 사이에 숨어 들어 정상의 탈을 쓰고 살아 간다는 유일한 선택지가 이들 앞에 놓입니다.

---

[1] 개중에는 되려 자신의 비정상성을 컬트적 패러다임으로 상황을 역전하는 개체들이 뜸하게 존재합니다. 그러나 비정상 개체의 대부분 — 나를 포함하여 — 에게는 해당이 없을 뿐더러, 대개 그러한 경우는 필연적으로 정상성의 제도에 편입되기에 본 문서에서 다루는 의미가 없습니다.

곧 피상적인 정상입니다. 기실 정상적인 사회 일반에 완전히 용해되지 못함과 동시에 이들은 여전히 사회에 속한 채 스스로의 존속을 기대할 수밖에 없습니다. 따라서 이들은 나름대로 삶을 유지하긴 하나 사회 안팎에서 공존과 격리 둘 중 어느 것 하나 제대로 할 수 있는 것이 없습니다. 도중에라도 그들의 비정상성이 드러나거나 드러날 일이 발생하면 곧 나와 같이 부끄러움으로 귀결되는 겁니다.

> 그렇게 부딪힌 세상은 처참했습니다. 성인이 돼서야 내가 남들과 조금 다르다는 것을 알게 됐습니다. 알고 보니 나는 미운 오리 새끼와 같은 존재였고, 나비가 될 애벌레들 사이의 나방 유충과도 같다는 것을 알게 됐습니다. 나에겐 사람들이 알지 못하는 비범한 재능이 있음과 동시에 다른 사람들이 모두 가지고 있는 보편적인 무언가가 결핍되어 있었습니다.
>
> — 작품 없는 예술가의 자서전 中.

내 이야기로 돌아오자면, 요컨대 나는 더뎠습니다. 육체적인 성장 속도뿐 아니라 내 정신적 성장의 속도 역시 다른 사람들보다 현저히 느렸습니다. 심지어 나의 성장은 느릴 뿐 아니라 올바르지도 못했습니다. 나는 생존을 위해 그것을 감추어야 했습니다. 그리고 나름대로 생애를 이어 오던 나는 어느새 사회인이 되었고, 이후에도 그럭저럭 살아 가는 데에 성공하는 듯했습니다.

사회 일반이 내게 기대하는 정상성이 점점 커져 감과 동시에 나의 괴로움도 더욱 커졌습니다. 언제까지고 작위적인 겉모습 뒤에 썩어 가는 살덩이를 숨기고 살아갈 수 있을지 막막했습니다. 나는 스스로를 숨기기 위한 가면도 만들었지만 다른 한편으로는 진정으로 성장하기 위한 노력 또한 멈추지 않았습니다. 쉽지 않았습니다. 다른 사람이 한 발자국을 나아가는 동안 나는 두 발자국을 걸어야 겨우 따라잡을 수 있었습니다. 그렇게 가랑이가 찢어지도록 달렸습니다만 내게 주어지는 것은 오로지 부끄러움이었습니다.

> 다행히 그들이 저를 내팽개치지는 못했습니다. 대신 그들은 제가 발작을 일으키지 않도록 당근을 건네기 시작한 겁니다.
>
> — 작품 없는 예술가의 자서전 中.

그리고 최근에야 사람들이 나를 마냥 정상인으로만 취급하지 않는다는 사실을 알게 되었습니다. 우려했던 대로 썩어 가는 살덩이의 고약한 냄새가 껍데기 틈으로 흐르고 있던 것입니다. 내가 노력한다 한들 내 안의 옹졸하고 나약한 파시스트는 현실에서의 도태를 감당하지 못했습니다. 내가 노력한다 한들 나는 사람들에게 더 이상 다가갈 수 없게 되었습니다. 최선의 다가감이 다가가지 않음이 될 때, 나는 내가 사랑하는 모든 것에서 멀어졌습니다. 사람을 사랑했던 나는 사람 사이에서 부끄러움으로 점철된 절망을 겪어야만 했던 것입니다.

마침내 나는 무리에서 벗어날 수밖에 없었습니다. 이유를 찾고 싶었습니다. 나는 왜 남들과 다른지, 왜 일찍 그것을 알아차리지 못했는지 말입니다.

사람들이 둔하다 생각했습니다. 사람들이 멍청하다 생각했습니다. 사람들이 매정하다 생각했습니다. 그러나 조금만 다시 생각해 봐도 결국 문제는 내게 있었습니다. 생애란, 나로 인해 문제가 벌어지고 그것을 수습하며 부끄러워하는 1인극의 연속이었던 것입니다. 모두에게 굄을 받고자 하는 마음은 모두에게 똑같이 굄을 주지 못하는 스스로에게서 옹졸함이 되었습니다. 절망 속에서 기호화한 삼라만상의 아우성에 매 순간 쓰러진 나는 속절없이 나약하기만 했습니다.

나는 무너졌습니다. 받아들이지 못했습니다. 무너지는 대로 그저 마음껏 무너지면 될 것을 나는 매번 붙잡으려 했고 손에서 놓지 못했습니다. 부쉬진 성채의 파편들을 나는 버리지 못하고 계속 짊어지려 했습니다. 어떻게든 그것을 복구할 방법이 없는지 처절하게 고민했습니다. 방법은 없었으며 잔해의 무게는 마침내 내가 견딜 수 있는 수준을 넘어섰습니다.

/ 二 /
가 면

나는 사람을 무엇보다 사랑했습니다. 나는 사려 깊은 사람이었습니다. 또한 나는 섬세하고 다정한 사람이었습니다. 사람 앞에서 나는 밝고 당찼습니다. 가까운 사람의 고통을 두고 보지 못했고, 나의 행복보다 다른 사람의 평안이 늘 우선이었습니다. 내 목숨보다 다른 사람의 안전이 늘 우선이었습니다.

내가 어떤 대단한 성인군자라 주장하는 것이 아닙니다. 나는 겉으로 남을 위하는 것 같았고 스스로도 남을 위한다 생각했습니다만, 실상은 그런 모습들에서 스스로의 필요성을 재확인하는 자기만족과 다름이 없었습니다. 사람이 나를 필요로 할 때, 혹은 그렇다고 느낄 때 비로소 존재의 기쁨을 누리곤 했으니 말입니다. 따라서 나는 '필요 존재'가 되기 위해 필사적으로 가면을 써야 했습니다.

곧 영웅의 가면이었습니다. 나는 가면을 쓴 채 거울을 보며 그것이 곧 내 얼굴이길 바랐습니다. 스스로에게 강요했습니다. 내 본래 얼굴과는 모양도 크기도 맞지 않는 가면을 억지로 얼굴에 끼워 넣으면서 그 가면의 모양대로 주형되길 바라고 또 바랐습니다. 모두를 행복하게 해 줄 수 있는 존재, 모두가 필요로 하는 존재, 그것이 내게는 영웅이었습니다.

이로 인해 나는 늘 실패했습니다. 새삼스럽게도 나는 타인의 행복을 보장할 능력이 없었습니다. 내 손조차 닿지 않는 곳에 머무는 사람들의 고통은 그저 바라보며 괴로워해야만 했습니다. 이는 당연했습니다. 그러나 무엇보다도 나를 무너지게 한 것은, 내가 행복하게 만들어 주고 싶었던 사람들에게 행했던 호의적 행위들이 되려 그들에게 독이 됐다는 사실이었습니다. 이는 당연하지 않았습니다. 고쳐야만 했습니다. 고쳐 보려 해도, 고치기 위한 일련의 나의 행위들마저 더욱 그들을 힘들게 만들었습니다. 모든 행위가 실수가 될 때, 그리하여 "최선의 다가감이 다가가지 않음"이라는 결론에 다다랐던 것입니다.

방법이 옳지 않았습니다. 사랑의 방식이 옳지 않았습니다. 나는 사람을 사랑했기에 타인에게 과도한 관심을 주었고, 과도한 관심을 요구했습니다. 고로 나는 남을 불편하게 했고, 또한 외로워해야만 했습니다. 나는 남에게 피해를 주고 싶지 않을 때 스스로를 그 사람으로부터, 혹은 불특정 다수의 사회로부터 철저하게 스스로를 격리해야만 했습니다. 그러다가도 못내 외로움을 이기지 못하여 한 발 가까이 다가서는 순간 나는 후회와 좌절만을 재확인하고 더욱 엄격한 격리 수순에 들어가곤 했습니다.

돌이켜보면, 나는 사려 깊은 사람도, 섬세하고 다정한 사람도, 밝고 당찬 사람도 아니었습니다. 사람 사이에서 나는 그저 무한히 굄을 받고 싶어 하는 개인의 욕구를 극복하지 못하는 그런 옹졸하고 나약한 종자였던 것입니다.

나는 평범한 사람도, 특별한 사람도 아니었습니다. 대신 나는 특이했습니다. 인간은 평범함 앞에서 편안함을 느끼고 특별함 앞에서 호기심을 느낍니다. 그것은 정상이기 때문입니다. 그리고 인간은 특이함 앞에서 거리감을 느낍니다. 그것은 비정상이기 때문입니다. 내가 받아 온 시선은 호감의 시선도, 멸시의 시선도, 호기심의 시선도 아니었습니다. 대신 나는 당황과 부담스러움과 무관심의 시선을 받아 왔습니다.

때때로 내게 웃어 보이는 사람은 등 뒤에 당근을 숨기고 나를 적당히 조련하려는 사람들이었습니다. 그 사람들이 나빴다는 말이 아닙니다. 굄을 바라는 나약한 종자에게는 그런 방식 이외에 마땅히 상대할 방도가 없다는 사실을 나 스스로도 잘 알고 있으며, 나였어도 나와 같은 사람에게는 그리 대했을 것이기 때문입니다.

차라리 당근이 아니라 칼이었다면 더 좋았을지도 모릅니다. 차라리 무관심이 아니라 멸시의 시선이었다면 더 좋았을지도 모릅니다. 물론 소용이 있는 것은 아닐 겁니다. 사람이 나를 어떤 시선으로 바라보던, 등 뒤에 당근을 숨기고 다가오던 칼을 숨기고 다가오던, 나는 나약했기에 그들이 여전히 사랑의 대상이라 인식했을 것이기 때문입니다. 동정을 바라는 것이 아니라 고해입니다. 언급한 바와 같이 나의 사랑은 사람에게 누가 되는 것 그 이상 이하도 아니었으니 말입니다.

결국 나는 어느 곳에도, 누구에게도 속할 수 없었습니다. 일말의 애착도 내게는 허락되지 않았습니다. 한평생을 그렇게 처참한 껍데기로 살았습니다. 썩은 속살 내음을 풍기며 나는 다가감과 물러남과 기대와 실망과 좌절을 반복해야만 했습니다.

따라서 영영 물러나야 할 때가 왔습니다. 사람들이 나를 아직 껍데기의 모습으로 기억할 때, 더 많은 사람들이 내 썩은 속살 내음을 인지하기 전에, 나로 인해 더 많은 사람들이 피해를 입기 전에, 아직은 정상인의 범주로 취급받을 때, 내가 더 아프고 괴롭기 전에 나는 나름의 고결함[2] 속에서 죽어야만 합니다. 내가 사라진 세상은 나로 인한 불편함도, 악취도 없을 것입니다. 분명 모두에게 한층 더 아름다운 세상일 겁니다.

고로 죽음이 임박했습니다.

---

2   응당 껍데기의 고결함일 것입니다.

/ 三 /
예 술

'아름다움'을 언급했으니 이에 관하여 이야기하겠습니다.

예술*schöne Kunst*과 미美*Schönheit*에 대해 나는 오랜 시간 고민해 왔습니다. 그것의 실체 — 예술과 미는 그 자체로 파쇼였습니다 — 와 무시무시한 잠식 능력을 목격하고 경험해 왔습니다. 처음에 그것은 감수성과 감각을 기민하게 만들었습니다. 나를 더 섬세하게 만들었습니다. 그러나 내가 모르는 사이 예술은 그 대가로 나의 정신적 면역력을 앗아가고 있었습니다. 그것은 이내 나를 손쉽게 지배하기 시작했습니다.[3] 세상을 감각하는 내 감관은 그것의 개별 요소들을 '판단'[4]하기 위한 보조 수단으로 작동하기 시작했습니다.

---

[3] 무릇 종교를 비롯한 지배 권력이 예술을 포섭하려는 데에는 다 그럴만 한 정치적 이유가 있었던 것입니다.

[4] 본 문서에서 언급하는 '판단'은 대개 "취미판단*Geschmacksurteil*"에 해당함을 밝힙니다.

요컨대 있는 그대로를 받아들이지 못하게 됐습니다. 내가 자발적으로 세상을 기호로 만든 것이었습니다. 알량한 이데올로기와 허무맹랑한 잣대가 내게 괴리를 선사했습니다. 예술 훈련이란 그렇게 인간의 정신을 사지로 내모는 부작용을 수반하는 것이었습니다.

외부의 간섭을 완전하게 차단하기 위해 나를 빈틈 없이 감싼 암실에서 모종의 재판을 시작합니다. 재판에서 저는 원고인 동시에 피고입니다. 피고는 원고를 설득하기 위해 나의 정신적 업보에 대해 일일이 변론해야 합니다. 이러한 변론에는 모순에 대한 뼈저린 시인과 굴복이 당연히 포함됩니다. 그리고 원고는 피고의 업보에 대한 보상 방안과, 같은 잘못을 반복하지 않도록 하는 대책을 강구해야 합니다. 이러한 대책에는 피고에 대한 정신적 고문이 포함되어있습니다. 곧, 자멸로 점철되는 정신적 자해입니다.

— 작품 없는 예술가의 자서전 中.

이미 뇌의 모든 영역이 그렇게 잠식되고 나서야 나는 뒤늦게 자각했습니다. 잠식될 것이었다면 차라리 자각하지도 말았어야 했습니다. 내게는 자각마저 예술 훈련의 부작용 중 하나였습니다. 그런 자각에 의해 나의 예술 훈련은 이미 임계점을 넘어간 상황이었으며 기호화한 객체를 '판단'하는 캐퍼시티는 종국에 그 기호의 증식 속도를 따라가지 못했습니다. 기호의 바다에서 나의 판단력은 그렇게 침몰했습니다.

어떤 아름다운 음악을 들어도 나는 기어코 그것을 빼앗겨야만 했습니다. 과거부터 들어 왔던 곡들은 이전과 같은 평안을 제공하지 못했고, 새로이 듣는 곡들은 지금의 나를 집어 삼킨 기호들의 개입에 의해 모조리 변질됐습니다. 나는 어떤 음악도 듣지 못하고 만들지 못했습니다. 음악이 없어도 모든 소리가 기호가 되어 나를 괴롭혔습니다. 애써 귀를 막으면 이명이 도래했습니다. 고요함마저 내게는 주어지지 않았던 겁니다. 이에 나는 음악을 켜고 끄고를 반복해야만 했습니다.

실패입니다. 이제 내게는 아름다움을 향유할 자격이 없습니다. 그럴 능력도 없습니다. 나는 좌절과 행복을 두려워했습니다. 미적[5] 쾌*Lust*를 심히 두려워했습니다. 본디 아름다움이란 대상에 귀속된 '속성'이 아니라 대상을 판단하는 주체 내부에서 발생하는 '현상'이었음을 알지 못했습니다. 나는 스스로에게서 발생한 지극히 주관적인 미의 작용을 대상에 투영하면서 그것을 대상과 동일시하고자 하는, 나름의 큰 과오를 저질러왔던 것입니다.

예술은 내게 원인을 가르쳐 주기보다는 내 모든 것을 끄집어 내어 놓고 나 자신을 직시하는 연습을 시켜주었습니다. 작품을 완성할 때마다 나는 황홀경에 취했습니다. 문제는 예술이 내게 요구한 계약조건입니다.

---

5 본 문서에서 언급하는 '미적'은 대개 "미감적*ästhetisch*"에 해당함을 밝힙니다.

예술은 당연히 나의 생각의 깊이에 비례한 작품을 만들도록 했습니다만, 한편으로 나의 성찰의 구덩이가 깊어지는 조건을 걸어야만 작품을 허락했습니다. 고로 하나의 작품을 만들 때마다 내게 주어지는 황홀경의 이면에는 더욱 고통스러운 심연이 전제되어있던 겁니다. 해당 계약 조건에 의해 예술과 예술이 제공하는 엑스터시는 점점 강력해졌습니다. 물론 그만큼 나의 외로움과 성찰의 고통 역시 커졌습니다.

— 작품 없는 예술가의 자서전 中.

이는 마약과 같았습니다. 가령 단일 대상에 대한 판단 1회가 10의 쾌를 선사했다면 그 다음은 두 개의 대상이 각 2회의 판단을 요구하며 기호화했습니다. 판단을 완료하면 15의 쾌를 선사했습니다. 그 다음은 마찬가지로 네 개의 대상이 각 4회의 판단과 20의 쾌를, 그 다음은 여덟 개의 대상이 각 8회의 판단을 요구하고 25의 쾌를 선사한 것입니다. 기호의 지수함수적 증식이 나의 정신적 용량을 넘어서기 시작했을 때 미적 판단에 의해 누적된 쾌는 순식간에 거품이 되어 사라졌습니다. 기호의 원자로는 더욱 맹렬히 작동했고, 냉각할 판단력은 고갈되어 갔습니다. 그렇게 '아름다움'을 상실했습니다.

위와 같은 멜트다운은 비단 '세상'이라는 정적인 대상에 한정된 것이 아니었습니다. 동시에 내가 그 무엇보다도 사랑했던 '사람'에 대해 판단을 시작한 것입니다. 나는 이를 '옹졸함'이라 부르기로 했습니다.

나는 사람을 사랑했습니다. 그들은 아름다웠습니다.[6] 앞서 말했듯 그들은 원래부터 아름다움이란 속성을 가진 존재가 아니었습니다. 그러나 그들이 의미를 가지고 내 삶에 기호로 나타났을 때 나는 스스로의 내부에서 그들이 '아름답다'는 판단을 실행했습니다. 그것까지는 괜찮았습니다. 문제가 됐던 것은 그러한 아름다움이 내가 감당하기 어려운 수준에 다다랐다는 것입니다.

---

[6] 오해를 줄이기 위해 "사람은 아름답다"는 내 판단의 성격을 원론적으로라도 상세히 규정할 필요성을 느낍니다. 본 문서에서는 이를 취미판단의 형태를 빌려 서술하고 있지만 사실 이를 순수한 취미판단이라 볼 수는 없기 때문입니다.

첫째로 판단 대상에 관한 부연입니다. 위 판단은 '사람'이라는 보편자에 내리는 판단이 아니었습니다. 또한 내가 만난 모든 개별자로서의 사람에게 내리는 판단도 아니었습니다. 물론 나의 취미판단이 사람 개념을 전제할 경우 유독 깊고 복잡하게 이루어진 것은 사실이나, 그렇다고 그것이 누구에게나 쉽게 이루어졌다는 뜻은 절대 아닙니다. 대신 내가 판단한 대상은 '나와 가까운 대부분의 사람들'이었습니다. 다시 말해 사람에 대한 상기한 판단이 선험적 판단이라 단정하기 어렵습니다. 어쩌면 "사람은 아름답다" 대신 "사람이 아름답다"라 적어야 더 정확할지도 모르겠습니다.

둘째로 판단 양상에 관한 부연입니다. 사람이 아름답다는 판단은 첫 1회의 판단으로 완료되는 것이 아니었으며, 각 판단 또한 0을 1로 뒤집는 방식의 즉각적인 판정도 아니었습니다. 대신 사람에 대한 취미판단은 대상과의 물리적, 정신적 조우가 반복될수록 판단 횟수 및 강도가 증가하곤 했으며 여러 판단력이 복합적으로 개입하여 이루어졌습니다. 이것이 초래하는 결과에 관해서는 본 문서의 7장에서 부연하겠습니다.

셋째로 판단 근거에 관한 부연입니다. 내가 사람의 아름다움을 판단하는 근거는 — 그것이 취미판단이라 주장하면서도 — 반드시 자연적으로 감각되는 조화, 비례, 균형 등의 특질과 그에 따른 쾌에 배타적으로 규정되는 것이 아니었습니다. 나는 '사람'을 예술의 범주로 사고한 적이 없지만 모종의 이유로 '사람'이라는 형식 자체에 굉장한 애착 — 애착이 반드시 아름다움으로 이어지는 것은 아닙니다 — 을 가지고 있던 것으로 보입니다. 따라서 "사람은 아름답다"는 나의 판단이 순수한 취미판단이라 선을 긋기 어려우며, 인식론이나 미학 담론의 영역에서만 다룰 수도 없겠습니다. 고로 이 부분은 정신분석적 해석으로써 보완돼야 할 것이며, 본 문서의 7장과 8장에서 무의식 분석을 통한 간접적인 부연으로 갈음하겠습니다.

그들은 변한 것이 없었습니다. 상기했듯 '아름다움'이란 나 자신에게서 발생하는 것인지라, 그들의 변화 여부에 관계없이 제멋대로 증식하곤 했습니다. 그들의 말과 행동, 작은 움직임과 표정까지 내게 기호가 되었고, 그럴 때마다 그들은 더욱 강력한 아름다움을 유발했습니다.

나는 열광했습니다. 그 아름다움에 파묻혀 종종 행복했습니다. 그리고 나는 더 큰 아름다움을 찾기 시작했습니다. 그러려면 그들이 더 강력한 기호가 돼야 했습니다. 나는 그렇게 사람에게 다가갔습니다. 나는 그렇게 사람에게 과도한 관심을 주었고, 과도한 관심을 요구했습니다. 나는 그렇게 사람에게 독이 되었습니다. 나는 그렇게 사람을 사랑했습니다. 나는 그렇게 옹졸해졌습니다.

실패입니다. 예술의 방식이 옳지 않았습니다. 나는 아름다움만을 추구했습니다. 예술 훈련에서 나는 나와 사람과 세상을 어떻게든 아름다운 포장재로 감싸는 데만 열중했습니다. 실재로부터 고립시킨 예술로써 골방에서 홀로 이상을 떠올리며 자위했습니다. 예술의 바깥에서 나는 점점 더 고립된 존재가 되어 갔습니다. 사람을 대하는 올바른 감각을 내어 주면서까지 계속 미적 황홀경만을 찾고 또 찾았습니다. 그리고 내게 충분한 미적 쾌를 제공하지 못하는 작품에 대해서는 근거 없는 비판을 일삼았습니다.

나는 기어이 예술을 빼앗겼습니다. 아름다움과 진실함을 빼앗겼습니다. 애꿎은 예술을 시기하고 증오했습니다. 기실 나는 예술가인 적이 없었습니다. 그럴 자격이 없었습니다.

　고로 실패입니다. 사랑의 방식이 옳지 않았습니다. 사람이 내게 다가오길 기다리지 못했습니다. 내가 사람에게 다가갔습니다. 내가 독이 됐음을 인지하고 나서는 사람에게 일절 다가가지 못했습니다. 사람이 내게 다가감을 허락하지 아니할 때 다가갔고, 사람이 내게 다가감을 허락할 때 도망쳤습니다. 하나도 맞지 않았습니다.

/ 四 /
정 치

그런 맥락에서 내가 러시아 아방가르드 이데올로기에 심취한 것은 당연한 귀결이었을 겁니다. 심취의 대상이 대상인지라 농담 삼아 주변에 내가 맑스주의자라 이야기하고 다니곤 했습니다만, 공산주의 자체보다도 예술에 대한 이들의 공산주의 '적' 사유에 관심이 있었습니다. 무엇이 그들로 하여금 예술에 죽음을 선고하게 했는지, 지금까지도 제도의 주류를 차지하는 '부르주아적 예술'에 대하여 어떤 경위로, 무려 100년도 더 전에 그것을 거부하게 됐는지 등이 그랬습니다.

그것을 이해하기까지 나는 나름 많은 공부를 해야 했으나 그 원리는 지극히 간단 명료한 것이었습니다. 삶의 결과물로서의 예술이 아닌 예술의 결과물로서의 삶. 추자크를 인용하자면

'삶인식*жизнепознание*'에서 '삶건설*жизнестроение*'로, 다시 말해 삶과 예술의 구조적 전복[7]으로써 그들은 전위, 곧 아방가르드였던 것입니다.

여기서 벤야민의 "정치의 미학화"로 사회주의 리얼리즘의 메커니즘을 규정하는 최근 연구의 견해를 빌리면 삶을 '정치'의 필요조건으로 범주화할 수 있습니다.[8] 요컨대 러시아적 '삶*жизнь*' — 더 구체적으로는 '삶의 방식*быт*'이라 쓰는 러시아 고유의 어휘를 포함하여 — 이 함축하는 삶 일반의 '정치성'이 그것입니다.[9] 현재도 열띤 토론이 진행되고 있는 논제겠으나, 본 문서는 논문이 아니므로 근거 부연은 여기서 줄이겠습니다.

돌아와서, 따라서 나는 예술과 미에 이어 정치에 관하여 고민하게 됐습니다. 전자의 고민이 '나'에 대한 분석이었다면 후자의 고민은 그런 '나'로 하여금 '삶 일반'에 대하여 고찰하게 했습니다. '나'와 '삶 일반'의 이항대립은 곧 '예술'과 '정치'의

---

7 러시아 혁명기 당시를 기준으로 부연하자면, '삶인식'으로서의 예술이 삶의 수동적인 사색, 곧 삶에 대한 무기력한 관조의 결과물에 불과하다면, '삶건설'은 예술이 직접적으로 새로운 — 근대적 의미의 — 삶[의 방식]을 유발하고 변화시키는 기제로 작용하도록 하는 일종의 혁명적 원동력으로서 안티테제였습니다.

8 가령 파시즘의 "정치의 미학화" 테제를 "파시즘이 정치적 삶의 미학화로 치닫"게 되는 "당연한 귀결"로 부연하는 벤야민 본인의 주장, "정치를 포함한 소비에트에서의 삶의 총체적인 미학화를 지적"하는 도브렌코의 이해, 그리고 같은 테제에 대한 귄터의 입장을 비판하면서 "예술의 과잉"과 "정치 혹은 정치를 포함한 삶의 실종"으로 보완하는 변현태의 이해 등이 있겠습니다.

9 삶이 정치의 필요조건이라 주장한 만큼 모든 '삶'이 '정치'에 일대일대응하지는 않을 것이니, 삶의 '정치성'은 나의 주관적인 의미 확장 정도로 이해해 주시면 좋겠습니다.

구도와 맥락이 유사한 것이었습니다. 이것이 결론적으로 내게 선사한 사고의 확장은 '나'와 '사람들'의 구도였습니다.

요컨대 나의 고민에 대해 100년 전 그들이 제시한 해법은, 예술의 파시스트적 횡포를 근절하기 위하여 역설적으로 '정치'를 도입하는 것이었습니다. 벤야민의 긴 논문 말미에 단 한 번 언급됐던 그 테제는 한 번으로도 충분히 강력했습니다.

"예술의 정치화*Politisierung der Kunst*" — Benjamin, W.

정치가 예술을 좇아 예술에 정치 스스로를 동일시할 때, 곧 정치가 '미학적'이고자 할 때 파시즘이 됩니다.[10] 고로 사람들이 나를 좇아 나와 동일한 존재가 되게끔 사고하는 것도 파시즘이 될 겁니다. 반대로 예술이 정치를 좇아 정치에 예술 스스로를 동일시할 때, 곧 예술이 '정치적'임을 인정하고 받아들일 때, 그것은 러시아 아방가르드가 그토록 부르짖었던 "삶을 건설하는 새로운 공산주의적 예술"이 됩니다. 이는 곧 '나'가 사람들을 좇아 사람들에 나를 동일시하는 것이 될 겁니다.

내 사고의 확장에는 학술적 근거를 제시하기 어렵지만, 이것이 초래한 통찰의 충격은 어마무시했습니다. 나는 사람을 사

---

10 '예술적*künstlerisch*'이라 하지 않은 것은 "정치의 미학화*Ästhetisierung der Politik*"에 사용된 어휘의 의미 범주를 지키기 위함이며, 예술의 개념이 역사적으로 변해 왔고 또한 변할 것이라는 벤야민의 입장을 고려한 것입니다. 고로 여기서 언급한 '정치가 좇는 예술' 또한 예술의 전통적 범주 — 가령 '부르주아 예술' — 에 국한됩니다.

랑했습니다. 다시 말해 나는 '정치를 사랑한 예술'이었습니다. 그러나 나의 사랑의 방식이 잘못되었다 언급한 바 있습니다. 내가 사람을 사랑했다면 내가 사람이 되면 되는 것이었습니다. 그러나 나의 방식은 정반대였습니다. 요컨대 사람들이 나와 같이 되길 바랬던 것입니다. 나의 잣대는 사람이 아닌 '나'였습니다. 그러니 실패할 수밖에 없었습니다. 요컨대 나는 소위 "정치의 미학화"를 추구했던 옹졸한 파시스트인 셈입니다.

> 돌이켜보니 나는 크나큰 착각 속에서 살고 있었습니다. 다른 사람들이 나와 비슷할 것이라 생각한 겁니다. 나는 지극히 평범한 사람이고, 다른 사람들도 다 나와 같은 줄 알았습니다. 나는 내가 좋아하는 것을 그들에게 해 주고, 내가 좋아하지 않는 것은 그들에게 해 주지 않았습니다. 자꾸 인간관계에 오류가 생기는데도, 나는 무엇이 잘못됐는지도 모른 채 어릴 적부터 줄곧 그래왔습니다. 그들이 나의 모든 생각을 공감하고 이해할 것이라 여긴 것입니다.
>
> — 작품 없는 예술가의 자서전 中.

'나'라는 잣대는 누구에게나 필요합니다. 그것이 있어야 인간은 정상 사회에서 건강하게 존재할 수 있을 겁니다. 그러나 그것이 단순한 '잣대' 혹은 '줏대'를 넘어 '절대'가 되면 문제가 발생합니다. 그것은 모든 판단이 최초로, 그리고 반드시 거치는 무분별한 거름망이 되기 때문입니다.

1. 허무맹랑한 잣대.
2. 알량한 이데올로기의 독재.
3. 기호의 바다에 침몰한 미적 판단력*ästhetische Urteilskraft*.

그렇기에 나는 사람을 사랑했다 한들 그들에게 다가갈 수 있는 자격이 전무했던 것입니다. 나의 판단은 매번 틀렸습니다. 혹은 불완전했습니다. 오로지 '나' 하나만이 세상을 통찰하는 만화경이라 이해해 왔습니다. 나는 신이 되고자 했습니다. 나는 영웅이 되고자 했습니다. 나는 열사가 되고자 했습니다. 나는 통일장─서사를 쓰고자 했습니다. 사람들과 삶 일반, 그리고 역사에 이르기까지 내 외부의 모든 것을 나 자신과 동일시하고자 했습니다.

"전쟁은 아름답다." — Marinetti, F.

실패입니다. 미적 판단은 나로 하여금 지극히 주관적인 영역에서만 사람을 사고하게 했습니다. '아름다움'이 내 안에서 유발되는 현상인 것을 알았다면, 나는 응당 그러한 아름다움 바깥의 현상계를 함께 사고해야 했습니다. 만화경으로 인식한 사람의 극히 일부분과 그에 대한 나의 판단이 거울로 무한히 반복될 때 그것이 내가 바라는 사람의 모습, 나아가 그 사람의 전체라 여겼습니다. 그리고 그것이 아름답다 여겼습니다. 나만큼 정당하고 아름다운 것은 없다 여겼습니다.

이에 더해 칸트의 주장은 결정적이었습니다. 지독한 칸트주의자[11]였던 나는 그의 사상에서 대부분의 사고와 말을 빌리고 있는데, 그는 미적 판단이 대상에 대한 관심*Interesse*과 상관이 없다는 이야기를 하고 있었습니다. 부정하고 싶어도 그럴 수가 없었습니다. 내가 부여받은 칸티안이라는 칭호 때문이 아니라, 단지 그것이 옳았기 때문입니다.

> 그들이 의미를 가지고 내 삶에 기호로 나타났을 때 나는 스스로의 내부에서 그들이 '아름답다'는 판단을 실행했습니다.

'아름다움'이 지극히 주관적이고 주체의 내면에서 발현하는 현상인 것은 다름이 아니라 내가 대상에 무관심하기 때문이었습니다. 사람을 사랑한다 해 놓고, 사람이 아름답다 해 놓고, 정작 나는 실재하는 사람이 아닌 내 상상 속에서 내 입맛에 맞춰 이상화된 사람을 사랑했고 그것이 아름답다 여겼던 것입니다.[12] 알고 보니 나는 줄곧 사람이 아니라 기호를 사랑하고 있었습니다. 모든 것이 나를 위한 연극이었던 기호의 세상에서 홀로 살아 온 것이다. 요컨대 실재가 없는 세상입니다. 나의 삶의 방식이 그러했습니다. 나의 일상이 그러했습니다.

본래부터 아름다운 속성을 띠는 존재는 없습니다. 사람 또

---

11 '칸트주의자'는 내가 자처한 것이 아닙니다. 다만 칸트를 몰랐던 시절 나와 이야기를 나누던 몇몇 사람이 나의 말을 듣고 장난조로 나를 칭하던 표현이었습니다.

12 이는 칸트의 무관심성 개념에서의 주관적인 의미 확장에 지나지 않습니다.

한 마찬가지입니다. 본래부터 스스로 아름다운 사람은 존재하지 않습니다. 아름다움은 대상에 내재하는 객관적 '속성'이 아니라 대상을 인지하는 주체에 귀속된 주관적 '판단'에 지나지 않았습니다. 고로 '아름다운 속성', '아름다운 사람' 따위는 표현부터 형용모순이었습니다. 요컨대 '아름다운 물자체'는 존재하지 않고 존재할 수도 없다는 것입니다.

대신 나는 대상으로서의 사람을 감각한 후 아름답다는 판단을 실행했고, 그때부터 대상은 '아름다운 존재'로 기억됩니다. 실재하는 대상은 변한 것이 없겠으나 기억에서의 대상은 아름다움으로써 비로소 윤곽을 형성했습니다. 대상은 미적 기호가 되고 이후로 동일 대상을 인식할 때 나는 주관적 영역의 아름다움을 대상에 투영했습니다.[13] 내가 바라보고 사랑했던 대상은 대상 그 자체가 아니라 나의 미적 판단, 곧 '아름다움'이라는 두껍고 주관적인 껍데기였습니다.[14] 그리고 그것이 언제까지나 '나'의 영역에 속했던 고로 나는 '삶 일반'을 철저하게 무시해 왔던 셈입니다.[15]

---

[13] 자유의지로 투영 여부를 결정할 수 있는 것이 아니었습니다.

[14] 따라서 내가 결정하는 대상의 모습은 실재하는 대상과 상관이 없었습니다.

[15] 그렇다고 해서 모든 대상에 대한 모든 사람의 취미판단이 반드시 파시즘으로 귀결된다는 뜻은 아닙니다. 나는 본 문서에서 미적 판단의 보편적 특징을 논하는 것이 아니라 나의 경우 — 아름다움에 매몰될 경우 — 를 특수하게 설명하는 것입니다. 예컨대 "정치의 미학화"가 그런 매몰의 양상을 정확히 묘사합니다. 단 — 어느 정도 자발적으로 — 아름다움에 매몰되는 나의 양태를 유미주의의 일종으로 봐야 할지는 나도 잘 모르겠습니다. 최소한 내가 매몰된 '아름다움'은 '심미성'과 관계가 없기 때문입니다.

'나'와 '삶 일반'의 이항대립은 다분히 러시아적인 이원론에 의거한 '일상быт'과 '실재бытие'의 이항대립과 소름 돋게 일치하는 것이었습니다. 다만 일상의 나에게 삶 일반이라는 실재는 없었습니다. 내게는 그저 나 하나뿐이었습니다. 내가 실패에 실패를 거듭하고 모든 상황이 부끄럼으로 귀결됐던 이유가 바로 여기에 있었습니다.

　파시즘에도 실재는 없습니다. 그저 상상 속에서 이상화된 '아름다운 전쟁' — 이 또한 형용모순 — 만이 있을 뿐입니다. "예술의 과잉"과 "정치를 포함한 삶의 실종"입니다. 내게도 실재는 없었습니다. 그저 상상 속에서 이상화된 '아름다운 사랑' — 이 또한 형용모순 — 만이 있었을 뿐입니다. '나'의 과잉과 '삶 일반'의 실종이었습니다. 나 역시 그렇게 "정치의 미학화"를 수행해 왔던 겁니다. 참으로 졸렬하지 않습니까!

/ 五 /

기 호

기호와 의미, 그리고 존재에 관하여 이야기하겠습니다.

생애는 주위를 인지하는 것에서 출발합니다. 세상 속에서 나의 위치를 수시로 확인하고 나의 존재를 세상으로부터 분리해서 사고하는 것입니다. 다만 인간이 외부 세계를 인지할 때 사용하는 수단이 감관이라는 사실을 간과해서는 안 됩니다. 감관은 능동적으로 대상을 판단 혹은 파악하는 기관이 아닙니다. 대신 어떠한 거름망도 없이 주어지는 감각적 자극들을 로 *raw* 데이터의 형식으로 전부 뇌에 전달합니다. 이를 실질적으로 처리하는 것은 순전히 뇌의 역할입니다. 그렇다고 주어지는 모든 데이터를 해석하는 것은 비효율적일 겁니다. 이에 뇌는 실시간으로 누적되는 데이터를 중요도에 따라 분류하고, 정말 필요한 정보에 대해서만 기호화하여 그것의 의미를 심도 있게 판단합니다.

따라서 뇌 기능의 핵심은 데이터의 처리 및 해석이겠으나, 중요하지 않은 데이터를 걸러내는 것 역시 매우 중요한 기능이 됩니다. 뇌는 생애 존속에 직결된 중대한 판단 — 사전적 의미의 — 을 위해 무의미한 것, 인식판단 영역에 발을 들이기도 전에 그저 대상과 현상의 배경으로 사라질 수 있는 것을 빠르게 폐기해야 합니다. 이렇게 폐기되는 데이터들은 대개 하찮고 반복적인 성격을 띱니다. 요컨대 일상적이고 관습적입니다.

그런데 뇌가 해당 기능을 제대로 수행하지 못하면 문제가 발생합니다. 버려야 할 데이터들이 채에 걸러지지 못하고 침전됩니다. 모든 것이 판단의 대상이 됩니다. 씻고, 먹고, 걷고, 듣고 말하는 모든 일상이 매 순간 비산하여 개별적으로 의미를 갖습니다. 일상이 비일상이 되고, 관습이 사건이 됩니다. 생애의 배경으로 사라져야 할, 혹은 사라질 수 있는 모든 대상이 기호가 됩니다. 무의미한 것이 자취를 감춥니다. 나를 둘러싼 세상이 시끄러워집니다.

내 삶이 의미를 잃은 대신 내 삶 이외의 모든 것이 의미 작용을 시작한 것입니다. 의미의 아우성은 나를 옥죄었습니다. 그리고 각각의 아우성은 조금의 누락도 없이 기억에 침전됐습니다. 나는 어디 하나 머리 누일 기억이 없어 늘 부유하고 떠돌아 다니다 의미의 무자비한 폭력을 당하고 나서야 기억 외부에서 겨우 노숙하곤 했습니다.

'나'의 과잉은 곧 기호의 과잉이었습니다.

직간접적인 사소한 '인지 경험'에도 나는 한없이 무너졌습니다. 형광등 빛의 파장과 공간에 남아 있는 소리들까지 모두 기호가 되었습니다. 사람의 존재 역시 기호였습니다. 내가 사랑하는 사람의 존재는 너무나 강렬한 기호였습니다. 나는 이들을 체에 적절히 걸러 내지 못하고 모든 개별 기호들을 연산 대기열에 포함해야 했습니다. 지극히 작은 스케일의 인지 경험에서조차 내가 처리해야 할 데이터의 양은 상상을 초월했습니다.

그리하여 나는 종종 눈을 감아야만 했습니다. 기호를 기호로 덮기 위해 나는 종종 음악을 틀어야만 했습니다. 감각과 기억이 나를 희롱하는데도 나는 눈을 잠시 감는 것 말고는 할 수 있는 행동이 없었습니다. 그래서 늘 도망치고 싶었습니다. 내가 사랑했던 사람들로부터 잊혀지고 싶었습니다. 그들에게서 영원히 멀어지고 싶었습니다. 그들이 사라지기를 간절히 바랐습니다. 그래서 숨을 쉬기 어려웠습니다. 감각과 기억이 나를 비틀 때마다 나는 경련과 함께 꺽꺽거리며 호흡을 멈춰야만 했습니다. 들숨과 날숨조차도 내게는 기호가 됐습니다. 그래서 비명도 지를 수 없었고, 원자로를 냉각할 눈물도 나오지 않았습니다. 나는 고요하게 몸부림쳤습니다.

내가 존재할 수 있는 계절과 시간대와 장소도 더 이상 없었습니다. 나는 한때 가을 공기의 내음과 겨울 바람의 촉감을 잃었고, 최근에는 봄 햇살의 나른함과 여름 장마의 습기를 잃었습니다. 아침과 낮과 밤과 새벽을 잃었습니다. 집과 도시와 산과 호수를 잃었습니다. 빛과 어둠을 잃었습니다. 소음과 음악과 고요함을 잃었습니다. 가족의 품과 음식의 따뜻함을 잃었습니다. 학교와 직장을 잃었습니다. 그 어떤 기억도 나의 존재를 허락하지 않았습니다. 어떤 기억에도 나는 기댈 수 없었습니다. 나는 모든 기억을 잃었습니다. 유일하게 나를 온전히 이해하던 담배와 술도 잃었습니다. 어디에도 속할 수 없었습니다. 나는 혼자였습니다. 그렇게 될 구조였습니다.

일전에 그런 적이 있었습니다. 며칠 비가 내리다 해가 지는 시간에 잠깐 하늘이 개어 크고 멋진 무지개가 떴던 날입니다. 퇴근 후 집에서 막 씻고 난 뒤에 확인해 보니 벌써 회사 단체 메신저에 예쁜 사진들이 올라와 있었습니다. 해가 아직 완전히 지지 않은 늦여름의 19시였기에 나는 충분히 무지개를 보러 나갈 수 있었습니다. 내가 사는 오피스텔 건물만 해도 전망이 좋은 옥상이 있기에 나가기만 한다면 나 역시 그 무지개를 볼 수 있었습니다. 그리고 당연히 보고 싶었습니다.

그러나 나는 끝내 무지개를 맨눈으로 관람하지 못했습니다. 창문에 내려온 블라인드에 손 대지도 못했습니다. 내가 조금 늦게 퇴근했다면 귀가길에 우연히 보고 말았을 테지만, 그것이 아니라 '소식을 접했던 것'이 문제였습니다. 덜컥 겁이 났던 것입니다. 내게 그 무지개는 더 이상 있는 그대로의 자연 현상이 아니었습니다. '내가 보는 것'이 아니라 '사람이 내게 보여주는 것'이었습니다. 그런 경우 무지개가 기호화하는 양상은 사뭇 달라집니다. 내가 보았건 사람이 내게 보여 주었건 무지개는 분명 '아름다울' 것이었으나 그 아름다움의 의미작용은 완전히 별개의 원리로 작동한다는 것입니다.

내가 내릴 미적 판단에는 분명 '사람'이 개입할 것이었습니다. 나는 사람을 사랑했습니다. 사람은 아름다웠습니다. 그런 요소가 개입하면 해당 무지개의 아름다움 상수는 제곱이 될 것이었습니다. 감관에 의한 대상의 인지 경험은 그 자체로 작동하지 못하고 반드시 '사람'과의 공유 경험에 화학적으로 결합했을 것입니다. 나는 그런 막대한 아름다움에 피폭될 자신이 없었습니다. 나는 두려웠습니다. 무서웠습니다.

심지어 사람들이 올린 사진과 이야기로부터 이미 간접적인 인지 및 공유 경험이 진행된 상태였습니다. 나는 그 자체만으로 형성된 기호의 소용돌이에도 공포에 떨어야 했습니다. "처음부터 존재한 적 없길" 바라는 옹졸한 파시즘은 응당 무지개도 열외할 수 없었습니다. 나는 그 무지개를 원망했습니다.

무지개가 어서 사라지고 밤이 되길 바랐던 것이 아닙니다. 나는 대신 그 무지개의 존재 및 발현 자체를 원망하며 그 무지개가 처음부터 존재한 적 없는 평행세계를 그리워했습니다. 없애고 싶었습니다. 물리적으로도, 내 기억에서도, 사람들의 기억에서도 모두 지워버리고 싶었습니다. 그 무지개는 다른 여느 기억들과 마찬가지로 내가 머리 누일 수 없는 기억으로 자리하고 만 것입니다.

존재 삭제.

이는 내가 사랑했던 사람들에 대해서도 수도 없이 해왔던 생각이었습니다. 그들을 지우고 싶었습니다. 처음부터 존재한 적 없는 사람들로, 내 기억에서 삭제하고 싶었습니다. "아름다움을 향유할 자격이 없음"이란 자고로 이러한 나의 용태에 대한 완곡한 진단입니다. 나는 사람을 사랑했습니다. 그래서 나는 사람과 그들의 아름다움을 두려워한 것입니다.

존재 검열.

현실로 돌아오면, 존재를 삭제한다는 것이 얼마나 허황된 꿈인지 새삼 깨닫습니다. 고로 나는 또 다른 조치를 취해야만 했습니다. 그것은 그나마 나의 통제 하에 놓여 있는 애꿎은 나 자신을 대상으로 할 수밖에 없었고, 이는 '검열'의 형태로 이루어집니다. 물론, 검열 대상이 '존재'가 된다 하여 그 방식이 오로지 '죽음'으로 귀결되는 것은 도덕적인 옳고 그름의 문제를 떠나서도 여전히 비약일 것입니다. 죽음은 자기 검열의 충분조건 혹은 필요충분조건이 아니기 때문입니다. 그러나 한 가지 명백한 것은 그것이 필요조건이라는 사실입니다. 요컨대 '존재'에 대한 자기 검열이 곧 죽음은 아니겠으나 설사 과잉 검열이라 할지라도, 다른 한편으로 죽음은 아주 확실한 자기 검열이라는 것입니다.

/ 六 /
죽 음

ㆍ

죽음에 관하여 이야기하겠습니다.

순리를 전제했을 경우 인간에게 주어지는 최후이자 최고의 축복은 죽음입니다. 죽음으로써 인간은 완성됩니다. 생명이 태어나는 것만큼이나, 혹은 그 이상으로 아름답고 황홀합니다. 그래서 죽음은 아무나 쉽게 겪을 수 있는 것이 아니며, 그래서는 안 되는 고귀한 것입니다. 준비된 자만이 얻을 수 있는 단한 번의 기회이자 보상입니다.

제게 '감정의 멸망'이란, 오히려 '감정의 소멸'과 정반대 극에 위치하는 개념입니다. 감정이 사라지고 없는 단계가 소멸이라면, 감정이 가장 극적으로 발현되는 단계가 바로 멸망입니다. 멸망이란 무언가가 겪을 수 있는 최후의 성장 단계이며, 멸망으로써 그것은 비로소 완전에 이른다는 것입니다.

자연과 도시를 이분법적으로 구분하는 기존의 인식관은 틀린 것입니다. 실제로는 1단계 창조된 자연에서 2단계 재창조된 도시를 거쳐 3단계 멸망한 폐허로 이어집니다.

— 작품 없는 예술가의 자서전 中.

까닭이란, 축복으로서의 죽음이 '소멸'보다 '환원'이기 때문입니다. 훌륭한 세상에서 훌륭한 삶을 살며 훌륭한 기억들을 쌓아 온 사람은 죽음으로써 그 기억의 꽃에 영원히 머리를 누이고 안식을 취하게 됩니다. 그리고 그것은 사라지는 것이 아니라 스스로의 기억 속에, 자신이 만들어 온 족적과 그가 사랑했던 사람들, 그를 사랑했던 사람들의 기억 속으로 온전히 환원되는 것입니다. 죽음으로써 그는 처음으로 완벽해집니다. 그리고 완벽은 불변하는 것이 됩니다. 불변하는 완벽에 다다르는 것이 '안식'이며, 그것이 순리적인 죽음입니다. 순리란, 그러한 축복을 누리기 위해서 갖추어야 할 '죽을 자격'인 셈입니다. 그러면 스스로에게 질문할 수 있겠습니다.

죽음을 맞이할 자격이 있는가.

현재 내게 죽을 자격은 없습니다. 나의 죽음에 "나름의 고결함" 따위를 적은 바 있으나 실상은 불명예스러운 죽음입니다. 순리에 어긋납니다. 스스로 목숨을 끊는 행위를 그 누구도 권하지 않는 이유가 여기에 있습니다. 곧 황금 알을 낳는 거위의 배를 가르는 행위와 별반 다를 것이 없기 때문입니다. 죽음이 그토록 고귀한 것이 아니라면 자살이 옳지 않다 이야기할 이유가 없을테니 말입니다.

죽음을 해명하겠다 선언해 놓고 이런 말을 하는 것이 앞뒤가 맞지 않아 보일 수 있습니다. 죽을 자격도 없고 스스로 목숨을 끊는 행위도 하면 안 된다 주장한다면, 어째서 내게 죽음이 임박했는지 설명이 더 필요하겠습니다.

내게 죽음이 임박한 것은 오히려 인간에게 주어진 가장 큰 축복을 받을 자격이 되지 않기에, 그 축복을 받을 기회를 영영 박탈당하는 것입니다. 실패한 자에게 축복과 축복을 받을 기회란 없습니다. 따라서 축복이 아닌 형벌입니다. 환원이 아닌 소멸입니다. 예술가로서 바랐던 멸망한 폐허는 예술을 빼앗긴 내게 더 이상 존재할 수 없습니다. 나는 어디에도 환원되지 못합니다. 나의 기억에도, 나에 관한 다른 사람의 기억에도 나는 환원될 수 없습니다. 神과는 다른 의미로, 나는 스스로 존재했습니다. 그래야만 했습니다. 죽음이 본질적으로 환원의 축복이지만 때때로 소멸의 형벌이듯이, 스스로 존재하는 것은 본질적으로 전능한 신적 존재의 위대함이지만 때때로 죄인 된 자의 벗어날 수 없는 지독한 운명인 것입니다. 스스로 목숨을 끊으면서까지 죽음이라는 축복을 넘보려는 자에게 형벌로서의 죽음을 집행하듯이, 스스로 존재하는 신의 영역을 탐닉한 자에게는 머리 누일 기억조차 없는 죄인의 운명이 마땅한 것입니다.

죽음의 속성과 자격, 운명론 따위를 고찰하는 것은 비단 본 문서를 작성하기 위해 급조한 것이 아닙니다. 대신 이런 고찰은 내 삶에서 기대하는 꿈 또는 희망과 관련이 있으며, 나는 꽤 오랜 시간 이를 두고 고민해 왔습니다.

처음의 내게 죽음이란 일반적인 의미로서 응당 두렵고 피하고 싶은, 언제 닥칠지 누구도 알 수 없는 그런 개념이었을 겁니다. 그래서 처음의 내게 꿈이란 내가 살아있음이 전제되는 시기에 이루고자 하는 것들과 그에 대한 기대였습니다. 그러나 생애가 침잠하면서 나는 점차 내가 살아 있는 시기에 대한 여러 기대를 거두게 됐습니다. 삶의 희망으로 가득차 있었을 원래의 꿈이 모종의 이유로 현실에 이루어질 수 없는 문자 그대로의 '꿈'임을 직감했던 순간, 나는 연속적인 시기로서의 삶 자체보다 삶이 끝나는 단일한 시점으로 그 희망을 이관했을 겁니다. 그러면서 나는 '삶이란 무엇인가'라는 질문보다 '죽음이란 무엇인가'에 집중했으며, '어떻게 살 것인가'라는 질문보다 '어떻게 죽을 것인가'가 더욱 중요한 과제가 됐습니다.

고로 두 번째의 내게 죽음이란 생애 유일한 희망이자 내가 기대하는 유일한 도피처였을 것입니다. 이 시기까지만 해도 나의 삶이 그렇게 비극적이었던 것은 아닙니다. 희망과 꿈이 정착한 위치가 삶에서 죽음으로 바뀌었을 뿐, 적어도 내게는 여전히 꿈이란 것이 존재했기 때문입니다.[16] 앞서 다룬 죽음의 속성에 의거한다면, 요컨대 내게 '환원의 꿈'이 있었다 말하겠습니다.

침잠이 심연의 바닥면에 이르렀을 때, 세 번째의 내게 죽음이란 피할 수 없는 형벌과 같은 개념이 됐습니다. 처음의 내가 죽음을 정의했던 것과 비슷해 보일 수 있으나 사실 의미가 꽤 다릅니다. 두 번째의 개념을 파기한 것이 아니라 대신 그것을 일반 개념으로 고수하되, 나에게 적용 시 변형되는 특수 개념을 추가한 것입니다. 두 번째의 나는 삶에서 희망을 잃고 죽음에 희망을 심었으나, 죽음이라는 축복조차 내게 과분하다는 사실을 깨달았을 때 나는 죽음에서마저 희망을 잃었습니다. 다시 말해 '환원의 꿈'은 간 데 없고 '소멸의 형벌'만이 내게 남은 것입니다.

두 번째에서 세 번째로의 이러한 전화가 어떤 심각한 계기가 있어서 발생한 것은 아니었습니다. 단지 '나의 죽음'과 '죽음 일반'을 구분하지 못했던 시기에는 미처 몰랐던 '나-특정성'을 뒤늦게 발견했기 때문입니다. 심지어 그러한 자기 특정성의 원리를 처음 발견한 것도 아니었습니다. 다름이 아니라 첫 번째에서 두 번째로의 전화 시기에 이미 '나의 삶'과 '삶 일

---

16 죽음이 본디 축복이라는 내 주장이 이 시기 형성됐는데, 어찌 보면 삶에서 희망을 회수한 내게만 해당되는, 방어기제와 같은 명제일지도 모르겠습니다. 삶에 축복이 없다면 내게는 죽음에라도 축복이 있어야 했으니 말입니다.

반'을 구분한 바 있기 때문입니다. 게다가 삶에서 희망을 잃었던 결정적인 원인이 바로 그러한 구분이었다는 사실조차 나는 간과하고 있었던 겁니다. 죽음에서만큼은 그런 구분이 없을 것이라 무의식중에 바랐던 것일지도 모르겠습니다. 어리석었습니다. 참으로 어리석었습니다.

결과적으로 나는 살아 있을 수도, 죽을 수도 없는 존재가 되어버렸습니다. 위에서 언급한 "죄인의 운명"이란 그런 것이었습니다. 나는 살 수도 죽을 수도 없기에 역설적으로 죽어야만 합니다. 엄밀히 말하면, 나는 살 수도, 죽음으로써 환원될 수도 없기에 죽음으로써 소멸해야만 하는 것입니다.

형벌이라는 용어로 포장한 터무니없는 현실 도피라 일갈해도 달리 할 말이 없습니다. 이에 대해서는 사실 나도 잘 모르기 때문입니다. 그것이 현실 도피건 아니건, 중요한 것은 지금의 내가 괴롭다는 사실입니다. 언뜻 미묘한 차이일 수 있으나, '나는 이러한데 세상은 이렇구나'가 아니라 '세상은 이러한데 나는 이렇구나'에 가까울 겁니다. 세상, 곧 삶 일반과 죽음 일반의 부조리가 아니라 되려 그것들의 숭고함과 아름다움을 시인하는 것, 그리고 나의 삶과 나의 죽음이 그렇지 못함을 시인하는 것에 가깝습니다.

/ 七 /
사 랑

이번에는 사랑에 관하여 이야기하겠습니다.

당연하게도 보편적인 사랑, 곧 '삶 일반'과 '실재'에 귀속된 사랑에 대한 일반론을 먼저 다루어야겠으나, 사실 나는 이 영역에 관한 연구나 훈련이 상당히 부족합니다. 그럴 수밖에 없는 까닭은 본 문서에도 드러나듯 나의 사랑의 방식이 매우 잘못됐으며, 그것만이 내게 유일한 사랑에 관한 경험이었다는 사실에 있습니다. 결국 나의 귀납은 신뢰도를 잃고, 대신 사랑에 대한 일반론을 추론하기 위해서는 나의 방식 및 경험의 여집합을 역산해야만 합니다. 다시 말해 명제의 이裏가 되기에 이것이 참이 되리란 보장도 없다는 것입니다.

본 문서에서 나는 '사랑'을 수도 없이 언급했으나 상기한 이유에 의해서 내가 언급해 온 '사랑'이 보편적으로 통용되는 일반적인 개념이 아닐 수 있다는 사실을 짚어야겠습니다. 따라서 '사랑'의 보편성 판단은 내 능력을 벗어납니다. 이에 나는 본 장에서 '나의 사랑'에 대해서만 이야기하겠습니다.

서론이 길었습니다. 후술할 이야기는 지금껏 반복되어 왔던 나의 사랑의 전화 양태에 관한 내용입니다. 나는 실패할 때마다 내 사랑의 방식을 점검하곤 했습니다. 점검을 했다 한들 실질적인 개선은 없었으나 적어도 나의 사랑의 방식에 대한 분석이 대개 그 과정에서 이루어졌으므로 적어도 내가 설명할 수준은 될 겁니다. 보통 나의 사랑은 크게 세 단계로 구성됩니다.

첫째, 나는 사람을 사랑했습니다. 나는 내가 사랑하는 사람들에게 사랑받고 싶었습니다. 그리고 나를 사랑해 주는 사람들이 있었습니다. 그러나 그런 사랑은 대개 조건 없는 사랑이었으며, 나는 그것을 견딜 수 없었습니다. 이에 관해서는 다음 장에서 보다 자세히 설명하겠지만, 조건 없는 사랑이 나를 매우 비참하게 만들었기 때문입니다.

내가 진정으로 바라는 사랑은 조건부의 사랑이었습니다. 처음부터 영원까지, 나의 어떤 노력 없이도, 내가 그 어떤 실수를 하더라도 숭고하고 한결같이 나를 사랑해 주는 그런 사랑은 내게 큰 의미가 없었습니다. 나는 사랑을 이룩하고 싶었습니다. 존재하지 않았던 사랑을 받고 싶었습니다. 내가 노력해서 성취하는 사랑을 받고 싶었습니다. 나를 이해하고 나서, 내 이야기를 듣고 나서, 내 행동을 보고 나서 내 모습을 기꺼이 받아들여 주는 사랑을 원했습니다. 한 순간의 실수로 사라질 수도 있는 그런 사랑을 원했습니다. 기회비용을 감수하고 선택받는 사랑을 원했습니다. 내게는 그것이야말로 조건 없는 사랑보다 훨씬 크고 아름다운 사랑이었습니다.

둘째, 나는 사람을 두려워했습니다. 내가 기대하는 사랑의 크기가 크면 클수록, 나는 그런 사랑을 받기조차 이상하리만치, 되려 두려워했습니다. 내가 그런 사랑을 받아 본 적 없다는 사실이 주된 원인인 듯했습니다. 미지의 것에 대한 막연한 공포 같은 것입니다. 동시에 나는 내가 어떤 사랑을 받고자 하는지 구체적으로 알지 못했습니다. 그것이 어떤 색을 띠는지, 그런 사랑 속에서 내가 느낄 감정의 색은 어떠한지, 내게 그런 사랑을 주는 사람의 색은 어떠한지, 그런 사랑을 받고 사는 내 삶의 색이 어떠한지, 나는 여전히 알지 못합니다.

셋째, 나는 사람을 시기하고 증오했습니다. 사람을 믿지 못했습니다. 나는 늘 배신감과 열등감과 외로움에 절어 있었습니다. 이상하게도 누구도 나를 괴롭힌 적이 없었습니다. 누구도 나를 배신하거나 무시하거나 따돌린 적도 없었습니다. 배신감과 열등감과 외로움은 오로지 나 홀로 초래하는 것이었습니다. 그래서 더욱 괴로웠습니다. 나는 누구에게도 내 마음을 말할 수 없었습니다. 객관적인 근거가 없었기 때문입니다. 속마음을 있는 그대로 털어놓았다가는 그때는 정말로 사람들이 내게서 떠날 것만 같았습니다. 썩어 가는 속살을 그렇게 애써 가리고 살아 왔습니다. 썩으면 썩을수록 나는 더욱 사람을 시기하고 증오했습니다. 내가 사람을 더 많이 사모할수록 시기와 증오도 더욱 커졌습니다.

나는 사람을 사랑했습니다. 그래서 사람을 두려워했습니다. 그래서 사람을 시기하고 증오했습니다. 내게 사랑과 두려움과 시기와 증오는 모두 같은 범주 ― 대주제로서의 사랑 ― 에 포함된 개념인 듯했습니다. 그래서 그렇게 사랑하고 두려워하고 시기하고 증오했던 사람에게 나는 끊임없이 관심을 기대했습니다. 나는 사람을 증오함과 동시에 그 사람을 사랑했던 것입니다. 어느 한 쪽이 커지면 다른 한 쪽이 함께 커지는 악순환이었습니다.

파시즘적 사랑의 방식에서 시작하여 나의 유구한 전통이 되어버린 이러한 자기모순에 의해 나는 늘 불안정한 상태에서 이내 무너지는 일상을 반복해야만 했습니다. 나는 그렇게 사랑하는 사람들에게 독이 되었습니다.

나의 사랑의 양태는 또한 죽음과도 긴밀한 관계에 있었습니다. 내가 사랑을 사고할 때, 즉 내가 사람을 사랑하고 두려워하며 이내 시기하고 증오하는 모든 국면을 스스로 정의할 때 나는 아래와 같이 '죽음'이라는 표현을 사용했던 것입니다.

나는 사람을 사랑했습니다. 그래서 몇 번이고 그 사람을 대신하여 죽었습니다. 나는 사람을 두려워했습니다. 그래서 나는 그 사람을 대신하여 죽지 못했습니다. 나는 사람을 시기하고 증오했습니다. 그래서 몇 번이고 그 사람을 죽였습니다.

죽음에 관한 앞선 장의 고상한 고찰보다는 메타포에 그칠지도 모를 위의 사고를 언급한 것은 단지 '죽음'이란 표현이 우연히 사용된 것을 지적하기 위함이 아닙니다. 대신 내가 어째서 '죽음'이라는 표현을 골랐는가 하는 의문을 제기하기 위함으로, 내 무의식에 대한 자문이기도 합니다. 그리고 무의식을 논한다면 메타포는 더 이상 메타포가 아니게 됩니다. 다시 말해 앞선 장에서 설명했던, 내가 죽음을 사고하는 방식이 엄연히 내 사랑의 방식에 개입했다는 뜻입니다.

나의 사랑의 범주에는 사랑과 두려움과 시기와 증오가 모두 포함된다 적은 바 있습니다. 사뭇 달라 보이는 이 용어들을 '죽음'이라는 매개변수에 관한 일차식으로 정리하면 사랑, 두려움, 시기, 증오 각각의 사전적 의미로부터 보다 자유로워집니다. 반대로 말하면, 죽음으로써 사랑을 정의하는 과정에서 발생하는 세 단계의 양태를 단지 '사랑', '두려움', '시기와 증오' 따위의 용어로 치환한 것일지도 모릅니다. 예컨대 사람을 사랑했기에 그 사람을 대신하여 죽는 것이 아니라 사람을 대신하여 죽을 때 나는 그것이 그 사람을 사랑하는 것이라 약속한 것입니다. 내 사랑의 전화 양태를 '죽음'으로 다시금 요약하면 아래와 같을 것입니다.

1. 사랑 = 대신하여 죽음
2. 두려움 = 대신하여 죽지 못함
3. 시기와 증오 = 죽임

'사랑 − 두려움 − 시기와 증오'의 구도가 보다 명료해졌으니 위의 세 단계에 대한 구체적인 부연 또한 가능하겠습니다.

첫째, 사람을 대신하여 죽음이란, 사람의 아름다움을 판단하는 단계입니다. 내가 판단을 실행할 때 '아름다움'이 도출되면 그것이 나의 존재를 대가로 내면에서 발현하고, 내 존재의 자리는 대상으로 대체됩니다. 나는 대상과 스스로의 존재를 교환하는 대신 미적 쾌를 얻습니다. 그것이 '대신하여 죽음'이 되는 것은 앞선 장에서 말한 것처럼 죽음이란 본질적으로 '환원'이기 때문입니다. 나의 존재가 대상과 대상의 아름다움으로 환원되면서 사람은 점차 나의 전부가 됩니다. 나는 이를 '사랑'이라 약속했습니다.

둘째, 사람을 대신하여 죽지 못함이란, 사람의 아름다움에 잠식되는 단계입니다. 미적 판단의 쾌 뒤에 숨은 '환원'은 연료 ─ 나의 존재 ─ 를 소모합니다. 더욱 커져 가는 쾌의 크기만큼이나 점차 바닥을 드러내는 연료 상황을 스스로도 인지하기 시작합니다. 그러나 이쯤 되면 늦었습니다. 사람은 이미 내게 전부가 됐으며 나는 미적 판단의 연쇄 반응을 멈추지 못합니다. 연료를 전부 소진하고 나면 이내 감속재가 더 이상 버티지 못하는 수준에 이르러 대상과 대상의 아름다움이 역으로 나를 압도합니다. 이것이 '대신하여 죽지 못함'이 되는 것은 더 이상 환원될 나 자신이 남아 있지 않기 때문입니다. 소위 '숭고Erhaben-heit'에 다다른 대상과 대상의 아름다움 앞에서 극심한 공포와 무력감을 느낍니다. 나는 이를 '두려움'이라 약속했습니다.

'두려움'의 단계에서 연료를 모두 소모한 나는 마지막 단계로 넘어가기 직전 가장 처절한 국면을 맞이합니다. 나는 갖은 수를 동원해서라도 내 환원을 사수하고자 합니다. 그저 대상의 아름다움을 지키기 위한 것이 아니라 환원으로나마 내 존재가 남아 있다고 여기는 것을 지키고자 함입니다. 연료의 전소와 세 번째 단계 사이의 기간은 꽤 깁니다. 마지막 단계가 어떤 끔찍함을 선사하는지 알기에 나는 완전히 망가지는 것도 고사하며 필사적으로 노력하기 때문입니다. 그러나 일찍이 정해진 운명을 이제 와서 바꿀 수는 없습니다.

A3-5

셋째, 사람을 죽임이란, 사람의 아름다움이 임계점을 넘겼을 때 그것이 일제히 붕괴하는 단계입니다. 모든 것이 바닥나고 판단 불능 상태가 되면, 전부가 되어 버린 내 안의 대상과 대상의 아름다움도, 남아 있지 않은 나의 존재와 존재의 흔적도 모두 무너집니다. 명백히 나를 잠식한 대상을 죽이는 격이 됩니다. 소멸입니다. 대상의 아름다움으로 환원된 나의 존재도 소멸하고, 대상은 완전히 소멸합니다. 나는 이를 '시기와 증오'라 약속했습니다.

곧이어 모든 인지 경험이 그 어느 것에도 완충되지 못하고 나를 직접적으로 타격하기 시작합니다. 나는 내가 사랑하는 모든 존재에게서 멀어져야만 했습니다. 또한 나를 사랑하는 모든 존재에게서 멀어져야만 했습니다. 마지막 단계에 이르러 나는 그렇게 텅 빈 껍데기가 되어 깊이 모를 심연 속에 나동그라지는 것입니다.

누구도 탓할 수 없다는 현실이 안타까웠습니다. 실제로 다른 누구의 잘못도 아니었다는 사실이 더욱 안타까웠습니다. 스스로 감내하기 위해서 나는 다른 누구에게 털어놓고 조언을 듣기보다는 스스로 진단하고 처방해야 했습니다. 털어놓는 것조차 그 사람에게는 나의 악취만이 느껴질 것이었고, 제대로 이해하게끔 설명할 자신도 없었습니다. 아마도 그런 설명을 하다 보면 어느새 설명보다 해명에 가까워질 것이 분명했습니다.[17] 설명을 잘 했다 한들 아무개의 조언은 내게 도움 될 리 만

---

[17] 그리고 서문에서 나는 이미 본 문서가 해명의 형태를 띨 것이라 언급했습니다.

무했습니다. 처음부터 이런 식의 이야기는 누구도 들어 줄 필요가 없는 것이었고, 이해할 필요도 없으며, 애써 조언할 가치도 없다는 말입니다. 나 역시 이를 아는 고로 죽음이라는 억지스러운 무대와 본 문서를 빌려 처음으로 이야기하는 것입니다.

/ 八 /
역 마

변명일지 변론일지 모를 본 파트의 마지막 장으로 내 역마살에 대해 이야기하겠습니다. 이를 위해서는 꽤 과격한 내용을 다루어야 합니다. 본래는 전문가와의 심리 세션에서나 할 법한 이야기지만 죽음 앞에서 이 주제를 애써 회피할 이유도 없을 뿐더러 나의 해명에 반드시 포함해야 하는 부분이니 숨기는 것 없이 작성하도록 하겠습니다.

앞선 장에서 나는 조건 없는 사랑과 조건부의 사랑을 비교했습니다. 내가 조건부의 사랑을 원했던 본질적인 이유는 나 역시도 정확히 알지 못합니다. 대신 내가 조건 없는 사랑을 거부했던 이유만큼은 확실히 알고 있습니다. 곧 '조건이 없음'이라는 말에서도 드러나듯, 내가 사랑받는 이유를 명확히 설명할 수 없었기 때문입니다.

흔히 조건 없는 사랑이야말로 가장 순수하고 깨끗한 사랑이라 말하곤 하나, 불가침 성역의 후광을 잠시 꺼 둔 채 엄밀한 관점으로 다시 생각한다면 그것이 사랑 외부의 조건들, 특히 무엇으로도 바꾸기 어려운 불변의 조건들에 의해 발생한다는 것을 쉬이 눈치챌 수 있습니다.

혈통이 대표적인 예시입니다. 부모는 자식에게 조건 없는 사랑을 제공합니다. 그것은 단지 본인의 유전자를 물려받은 후손에 대한, 기입력된 동물적 보호 본능에서 비롯됩니다. 노골적으로 말한다면, 그것은 자식이 된 사람 그 자체에 대한 사랑이 아니라 본인의 유전자에 대한 사랑이며, 그 유전자를 계속해서 다음 세대에 전달할 캐리어에 대한 사랑입니다. 내가 부모의 유전자를 세포에 품고 있는 한, 나를 향한 부모의 조건 없는 사랑은 영속할 것입니다. 결국 혈통에 의한 사랑이 그 지속력과 강도는 상당하지만 순수하다고 보기는 어려우며, 사랑을 받는 객체의 입장과는 상관없이 자기중심적이고 일방적이라는 겁니다.[18]

나는 정말 사랑받는 존재입니까? 이런 나를 당신은 여전히 사랑합니까? 나는 믿기지 않습니다. 혹자는 그런 나를 사랑해 주는 존재가 있다는 사실에 감사하라 말할지 모릅니다. 그러나 저는 다르게 느낍니다.

---

[18] 내가 모성을 폄하하는 것이 아닙니다. 나 역시 아이가 있다면 그 아이가 생물학적 자손이건 입양한 아이건 상관없이 그런 조건 없는 사랑을 제공했을 것입니다.

나는 내가 사랑받아야 할 이유를 잃어버렸습니다. 사고를 지속할수록 나는 그 누구에게도 사랑받을 수 없다는 결론이 자꾸 나올 뿐입니다. 그러다 보니 차라리 이런 나를 사랑하지 않았으면 하는 생각까지 합니다. 이런 나를 사랑한다면, 당신은 참으로 불쌍해지고 나는 비참해지는 것 같아서 말입니다.

— 작품 없는 예술가의 자서전 中.

그리고 사랑받아야 할 이유의 모호함은 신의 사랑과 같이 조건 없는 사랑의 다른 경우에서도 공통으로 발생합니다. 조건 없는 사랑은 조건이 없기 때문에 견고하고 위대하며, 또한 조건이 없기 때문에 비대칭적이고 모호합니다. 조건 없는 사랑을 제공하는 주체는 큰 기쁨을 느끼겠으나 조건 없는 사랑을 받는 객체는 그것을 받아들이기 위해 자신이 사랑받아야 할 이유를 스스로 찾아야 하는 운명에 놓입니다.

그 이유를 스스로 찾지 못하는 것은 내가 기대하는 사랑과 상대가 내게 제공하는 사랑 사이의 괴리, 나의 실제 모습[19]과 상대가 내게 기대하는 모습[20] 사이의 괴리, 돌고 돌아 다시금 '나'와 '삶 일반'의 괴리, 곧 '일상'와 '실재'의 괴리에 기인합니다. 이로부터 당사자는 스스로의 존재가 비합리적이라 여기게 됩니다. 자신의 존재 의미도 찾지 못합니다.

---

19 '기질'이라 요약할 수 있겠습니다.

20 내가 스스로에게 기대하는 모습과도 동일합니다.

존재가 흔들리는 것입니다. 존재가 흔들리는 것, 혹은 존재가 검열 대상이 되는 것이 선사하는 공포는 글과 말로 다 표현할 수 없습니다. 고로 이를 막기 위한 방어기제가 본능적으로 발동합니다. 그것은 1차적으로 부정과 불신의 형태로 나타납니다. 조건 없는 사랑의 부정, 그것의 숭고함과 아름다움을 인정하지 않고 신뢰하지 않는 것입니다. 그 근거와 이유가 합당하지 않아도 문제 되지 않습니다. 존재의 흔들림 앞에서 애써 부정하는 자에게 합리성은 조금도 중요하지 않습니다. 내가 앞서 언급한 조건 없는 사랑의 자기중심성과 일방성이 바로 이 단계라 볼 수 있겠습니다. 따라서 첫 번째 대응책, 부정과 불신은 합리성이 제거되는 부작용을 수반합니다.

부차적으로 스스로의 존재를 공고히 할 수 있는 수단을 물색합니다. 나의 경우는 그럴듯한 결과물을 만들어 내는 것이었습니다. 곡을 써야만 했고, 글을 써야만 했으며, 디자인해야만 했습니다. 발매해야만 했고, 출판해야만 했으며, 심미성을 갖추고 사용성이 있어야만 했습니다. 결과물이 '그럴듯함'의 단계에 이르러야만 나는 나의 존재를 재확인할 수 있었습니다. 문제는 '그럴듯함'이 요구하는 정신적 대가입니다.

이 단계를 '공장'이라 함축한다면, 그러나 공장은 언제까지나 궁여지책의 수준을 벗어나지 못했습니다. 존재의 확인으로써 죽음을 유예하기 위해 공장을 가동해야 하지만 그것 자체로 소모하는 에너지가 막대했습니다. 정신적으로 계속 피폐해져 가면서도 그러지 않으면 나의 존재가 확인되지 않으니 별 수가 없었던 겁니다.[21] 죽음에 가까워질수록, 내 존재가 희미해질수록 공장은 더욱 큰 에너지를 요구했습니다. 내게는 이 악순환을 근절할 차선책이 없었습니다.

존재의 문제에 정면 승부로서 당돌하게 덤벼들었던 것이 아닙니다. 대신 나는 나약했기에 나를 추궁하고 압도하는 해당 문제의 횡포에 대해 미약한 변론 행위 ― '그럴듯함'의 생산 중독 ― 를 임시방편 삼아 몸부림쳐야만 했던 겁니다.

이야기가 다소 난잡해졌습니다. 다시 핵심 논의로 돌아오자면, 조건 없는 사랑을 이같이 비판하고 혈통의 예시와 존재의 문제를 언급한 것은 다름 아닌 나의 부모 이야기를 하기 위함입니다. 구체적으로는 조건 없는 사랑에 대한 불신과 기피 욕구를 최초로 느꼈던 어린 시절의 기억 하나를 꺼내고자 합니다. 그리고 그것이 나의 존재를 어떻게 뒤흔들었는지, 청소년기를 거쳐 성인이 되고 지금에 이르기까지 내게 어떤 지대한 영향을 미쳤는지, 그 결과가 무엇이었는지 적겠습니다.

혈통에 의한 사랑은 내가 해당 문제를 가장 처음 직면한 영역이자 가장 탈출하고자 했던 사랑이었습니다. 부모는 내게 부족함이 없는 사람들로서 내가 태어난 이후 그들의 반평생을 내

---

21   대표적으로 3장에서 언급했던 예술 훈련을 들 수 있겠습니다.

게 헌신했습니다. 어린 시절의 나는 또래의 여느 자식들이 그러하듯 그것의 소중함을 간과한 채 익숙하고 당연한 것으로 여기고 어린 시절을 보냈을 겁니다. 그리고 그들의 사랑 속에서 나는 또한 겉으로 큰 문제 없이 성장했을 겁니다.

나 역시 문제 없는 완벽한 유년기와 청소년기를 보냈다 굳게 믿었습니다. 나의 부모 또한 부모의 역할을 완벽하게 수행했다 믿었습니다. 그러나 내가 서서히 망가지면서 불현듯 어린 시절의 몇몇 기억이 떠오르기 시작했고, 마냥 정상적인 성장기를 겪은 것이 아님을 직감했습니다.

나는 한때 부모를 두려워했습니다. 내가 자는 동안 그들 중 한 명이 몰래 내 방에 들어와 나를 살해할 것이라 여긴 것입니다. 단일한 사건으로서의 계기가 있지는 않았던 것 같습니다만 나는 수 개월에서 일 년 가량 그런 두려움에 떨었습니다. 그래서 나는 자기 전마다 가위, 연필, 칼 등의 날카로운 물건들을 절대로 책상 위에 그대로 두지 않고 서랍이나 선반에 꼭 정리하곤 했습니다. 그렇게 정리하고 난 뒤에도 나는 꽤 오랫동안 잠에 들지 못하고 이불 속에서 내 방문을 응시하곤 했습니다.

돌이켜보면 당시의 두려움에는 이상한 점이 여럿 있었습니다. 무엇보다도, 내가 두려워했던 부모의 살해 방식이 상당히 구체적이었다는 점입니다. 일반적으로 누군가 나를 죽일까 두렵다면 언제, 어디서, 어떻게 나를 죽일지 예상할 수 없다는 사실이 가장 큰 공포로 다가올 것입니다. 그러나 나는 그 세 가지 항목을 정확하게 지정 — 잠든 시간, 내 방, 날카로운 나의 물건 — 했고, 그 외의 시간과 장소와 방법에 대해서는 조금도 생각해 본 적이 없었습니다.

위의 세 가지 조건 중 어느 하나라도 만족하지 못하는 경우 나는 그러한 두려움을 느끼지 않았던 것으로 기억합니다. 가령 내가 깨어있는 모든 시간에는 내가 방에 있고 책상 위에 날카로운 나의 물건이 존재하더라도 그러한 두려움을 겪지 않았습니다. 내가 다른 곳에서 잠이 들었다면 그것 역시 두렵지 않았습니다. 심지어 내가 방에서 잠들어 있을 때 부모 중 한 명이 내 방에 실제로 나를 죽이러 들어온다 한들 그들이 내 날카로운 물건을 찾지 못한다면 그것 역시 두렵지 않았습니다.

잠든 나를 부모가 정녕 죽이려 했다면, 내가 소유한 날카로운 물건들을 원래 위치로 정리하는 것은 아무 소용없는 행동이었을 겁니다. 그 물건들은 여전히 내 방 안에 있었을 것이며, 그들이 나를 살해하기 위해 나의 물건을 사용할 리도 만무했습니다. 당시의 내가 10대 초반 즈음 — 어렴풋이 기억합니다 — 으로 그렇게까지 어린 것도 아니었기에 이 사실을 모르지도 않았을 겁니다.

결론적으로 이것은 실제로 부모의 살해 위협을 느낀 것이 아니라 어떤 무의식적 작용이 당시의 내 수준에 맞추어 이해되는 과정에서 그렇게 구조화된 것으로 보입니다. 내가 자기 전 날카로운 물건들을 정리했던 것은 그들의 살해로부터 스스로를 지키려 했다기보다 당시 내가 겪은 모종의 히스테리를 '부모의 살해에 대한 두려움'으로 치환하여 이해하고 그에 대한 자구책으로서 나름의 상징적인 의식儀式을 치른 것입니다.

다시 말해 '부모의 살해에 대한 두려움'이란 단지 내 안의 무의식적인 작용에 대한 의미 없는 껍데기였습니다. 그렇다면 내가 정말로 두려워했던 것은 따로 있었다는 결론에 이릅니다. 당시 내 두려움의 원관념을 파악하기 위해 응당 내 무의식으로 다시 눈길을 돌려야 했습니다. 나는 여기서 세 개의 특이사항을 발견했습니다.

첫째, 세 가지 조건, 즉 살해 시간과 공간과 도구의 공통점에 주목했습니다. 다시 언급하자면, 살해가 이루어질 것이라 여겼던 시간이 내가 잠든 시간이었다는 것; 살해가 이루어질 것이라 여겼던 장소가 내 방이었던 것; 살해 도구가 나의 날카로운 물건이라 생각했던 것이 그것입니다. 세 요소가 공유하고 있는 부분은 다름 아닌 '나'입니다. 다시 말해 시간적으로나 공간적으로나, 심지어는 도구에서조차 가장 사적인 영역, 내가 가장 안전함을 느끼는 영역이라는 것입니다. 그 말인즉 내가 두려워했던 부모의 살해 방식은 공통적으로 그들이 '나'의 영역을 침범한다는 특징이 있습니다. 당시 나는 모종의 이유로 내가 가장 편안하고 안전하다고 느껴야 할 '나'의 영역을 더 이상 신뢰하지 못했던 것입니다. 그리고 무의식 중에 그 영역들이 이미 부모에 의해 잠식된 상황이었을 겁니다.

결국 내가 두려워했던 것은 부모에 의한 '나'의 존재론적 위기였으며, 나만의 시간과 장소, 물건은 이미 정신적으로 빼앗긴 상태였습니다.[22] 내게 가장 익숙해야 할 시간과 장소와 물건이 최초로 안티테제, 즉 기호로 변질된 것입니다. 요컨대 나는 10대 초반에 최초로 머리 누일 곳을 상실했습니다. 해당 기간이 지난 후에는 동일 증상이 반복된 적 없으나[23] 나는 이때부터 부모의 사랑, 나아가 조건 없는 사랑에 대한 무의식적 불신을 싹 틔운 것으로 보입니다.

둘째, 나의 날카로운 물건들을 '책상'에서 치워야 했다는 것입니다. 침대 머리맡에 책상이 있기도 했으나 그보다 내가 그것을 단지 책상에서 치우는 것만으로 두려움을 덜어낼 수 있었다는 사실에 주목해야 합니다. 부모가 나를 살해할 때 사용하는 도구로는 오로지 내 책상 위에 있는 나의 물건들 중에서 골라야만 한다는 전제가 있었습니다. 곧 '책상'으로 표상되는 무의식적 요소가 있었다는 뜻입니다.

---

[22] 나의 시간과 공간을 침범하고 나를 살해하려는 자가 부모라 해서 빼앗은 주체가 부모라 주장하는 것이 아닙니다. 고로 엄밀히 표현하면 빼앗겼다기보다 잃은 것이며 부모는 단지 원인을 제공했을 뿐입니다.

[23] 직후 사춘기에 접어들면서 사라진 것으로 보입니다.

나는 책상이 부모에게 드러나는 나의 피상을 표상한다고 봤습니다. 내가 지독한 말썽꾸러기였던 고로 부모는 크고 작은 건으로 나를 거의 매일같이 혼내야만 했습니다. 때때로 부모가 나를 사랑하지 않는 것인지 생각했을 정도로 강하게 혼난 적도 여러 번 있었습니다. 어린 나는 내가 그렇게 혼나는 원인을 나 자체에 두지 않고 부모가 목격하는 나의 겉모습이라 여겼을 겁니다. 이에 어린 아이들이 으레 그러하듯 나 역시 실제로 올바르게 성장하는 모습을 보이는 것보다는 혼날 거리를 만들지 않는 것에 집중하곤 했습니다. 혼날 거리는 늘 내게 귀속되어 있었고, 나는 내가 혼나는 이유도 잘 알고 있었습니다.[24] 그것이 바로 부모가 나를 살해할 도구, 즉 가위였던 겁니다.

셋째, 나는 부모 두 명 전부가 아니라 부모 중 "한 명"이 살해를 실행할 것이라 생각했으며 그 사람이 어머니일 가능성이 높다고 여겼던 것입니다. 의아했습니다. 만약 어머니를 향한 프로이트적 소유욕이 원인이었다면 나를 죽여야 할 존재는 반대로 아버지여야 했기 때문입니다. 나를 살해할 사람으로 아버지에게도 가능성을 걸었기에 모성에 대한 불신이라 일축하는 것 또한 비약일 겁니다. 이에 나는 다른 곳에 원인이 있다고 생각했습니다. 부와 모 양자에 해당하면서 어머니 쪽이 특별히 더 강했던 무언가를 찾아야 했습니다.

---

[24] 엄밀히 말하면, 내가 혼나는 이유는 알고 있었지만 어머니가 화를 내는 이유는 알지 못했습니다. 이에 대한 자세한 내용은 후술할 것입니다.

이는 책상에 관한 논의에서 이어집니다. 어머니는 나를 훈육했습니다. 아버지도 물론 나를 훈육했으나 내가 주로 어머니와 시간을 보내야 했던 흔한 형태의 가정에서 자랐기에 어머니의 훈육이 압도적으로 비중이 컸습니다. 그렇다고 당시 나의 두려움이 훈육에 대한 두려움에서 비롯됐다거나 하는 그런 단순한 이야기를 하려는 것이 아닙니다.

내가 성인이 되고 나서 부모에게 들은 이야기에 따르면, 두 분은 자녀 계획을 하면서 둘 중 한 명이 자식을 훈육할 때 다른 한 명은 그것에 일절 관여하지 않기로 약속했다 합니다. 이 약속이 기대하는 효과가 두 개 있었는데, 하나는 부모 둘이 함께 혼내지 않기 위함이고, 다른 하나는 한 명에게 혼나고 있는 자식을 다른 한 명이 무분별하게 감싸고 들지 않도록 하기 위함이었습니다. 다시 말해 한 명에게 혼나고 난 뒤에는 다른 한 명이 자녀의 임시 안식처가 될 수 있어야 하고, 동시에 자식이 스스로 잘못을 인지하고 고칠 수 있도록 — 쉽게 말해 버릇 나빠지지 않도록 — 다른 어떤 변호도 해 주지 않겠다는 것이었습니다. 어릴 때는 알아채지 못했으나 그 이야기를 듣고 보니 어린 시절 내가 부모에게 훈육받을 때 정말로 두 명이 같이 혼내거나 벌을 준 적은 단 한 번도 없었습니다. 또한 내가 강하게 훈육을 받고 있어도 다른 한 명은 모른 체하고 움직이지 않았습니다. 부모가 내게 털어놓길, 감싸 주고 싶은 마음을 참는 것이 매우 힘들었지만 교육을 위해 꾹 참았다고 합니다.

부모의 훈육 방식의 옳고 그름을 논하려는 것이 아닙니다. 그들이 했다던 약속을 두고 왈가왈부할 생각은 없습니다. 다만 그것이 어렸던 내게 미친 영향이 무엇이었는지 생각해 봐야 했습니다.

바로 부모가 나를 지켜줄 수 없는 존재라 여겼던 것입니다. 어린 아이는 부모의 훈육이 '훈육'임을 알지 못합니다. 곧 자신을 위해서 그러는 것임을 알지 못합니다. 어린 시절의 내가 훈육을 훈육으로 이해하지 못하고 스스로에 대한 공격으로 여겼다면, 아버지는 어머니의 공격을 방조하는 존재가 되고 어머니는 아버지의 공격을 방조하는 존재가 됩니다. 어린 나의 눈에는 그것이 방조가 아니라 '공조'로 보였을 겁니다. 나를 방어해 주는 사람은 어디에도 없고, 대신 공격하는 사람만 있기에, 이들이 나를 지켜 주는 존재가 아니라 나를 제거하려는 존재라 생각했던 것입니다.

원래의 이야기로 돌아와 보면, 그러한 공조 행위는 나로 하여금 무의식에서 부모의 사랑에 대한 신뢰를 잃게 했습니다. 그런 무의식은 그들 중 한 명이 나를 살해할까 두려워하는 신경증으로 나타났습니다. 한 명이 나를 살해하러 방에 찾아 온다면, 다른 한 명은 약속에 의해 관여하지 않았을 겁니다. 그리고 어머니를 더 의심했던 이유는 훈육의 횟수보다 훈육의 양상, 즉 나를 향한 공격 전술이 더 강렬했기 때문입니다.

어머니는 무언가 조금이라도 당신의 뜻대로 되지 않는다면 감정을 폭발시키는 유형이었습니다. 어머니는 논리적인 설명보다 스스로의 감정에 솔직한 모습을 있는 그대로 드러내어 나의 잘못된 행동이 어머니에게 어떤 상태를 촉발했는지 보이곤 했습니다. 그리고 나의 하루 일과는 주로 어머니에 의해서 조절 및 조정됐고, 나는 말을 잘 듣지 않는 아이였습니다. 그 시너지는 굉장했습니다. 나는 아버지의 방어가 전무한 채로 지속적인 어머니의 히스테리를 견뎌야 했습니다.[25] 그것이 유아기부터 누적되어 사춘기 직전에 이르렀을 때 최고 수치에 다다른 것으로 보입니다. 그때는 사춘기의 반항심과 독립심도 없고, 상황의 이해는 똑바로 할 수 있는 나이임과 동시에 여전히 여리고 어린 아이, 아직은 부모가 세상의 전부인 시기였습니다. 그런 조건들이 겹쳐 최초로 존재가 흔들리는 공포, 존재의 검열, 곧 자아 박탈이 발생한 것입니다.

분석이 끝났습니다. 무의식의 해석에 집중하긴 했으나 프로이트적 리비도와는 관계가 깊지 않았다는 소결입니다. 사랑 경쟁의 결과가 아니라 생존 경쟁의 결과였습니다.[26] 책상 위의 가위처럼, 생존을 위해 피살에 대비했던 것처럼 말입니다.

---

[25] 어머니의 히스테리에는 성격 문제도 있었겠으나 사실 내가 제일 큰 원인이었을 겁니다. 나는 어머니의 성격을 두고 가치 판단하고 싶지 않습니다.

[26] 엄밀하게 표현하자면, 리비도적 사랑 경쟁이 아니라 새끼 개체 스스로의 생존을 위한 양육 개체로부터의 사랑 쟁취 문제입니다. 그 나이에는 양육 개체의 사랑 여부가 여전히 피양육 개체의 생존 여부를 결정하니 말입니다.

분석 결과가 언뜻 보면 별것 아닌 것처럼 보일지 모르겠습니다. 나는 전문가가 아니므로 나 자신에 대한 정신분석 역시 신뢰할 수 있는지 확신할 수 없습니다. 다만 앞서 언급한 것처럼 나의 미약한 변론 행위에서 정확성과 전문성의 결핍은 그다지 큰 문제가 되지 않습니다.

그러나 그것이 객관적으로 별것이었든 아니었든 어린 시절의 나는 스스로가 그다지 합리적이지 못한 존재라 여겼을 것이며, 해당 문제는 분명 중대한 신경증의 형태로 나타났을 겁니다. 나만의 시간과 공간, 소유의 경계가 최초로 무력화됐던 기억, 부모의 사랑을 쟁취하기 위해 그들에게 드러나는 피상에서 나를 살해할 여지를 없애는 데에 급급해야 했던 기억, 그리고 누구보다 사랑했던 어머니가 나를 포기할까 초조했던 기억 등. 그런 상황이 기간을 두고 지속됐던 것은 어린 나이에 감당하기 어려웠을지도 모릅니다. 부모의 살해에 대한 두려움이라는 무의식의 표상에서 그치지 않고 그것이 혈통의 절대성 부정과 역마살을 거쳐 조건 없는 사랑에 대한 불신과 피상적 정상 상태로 이어졌다는 사실만 고려해도 그 영향이 컸다고 볼 수밖에 없는 겁니다.

따라서 나의 역마살은 정신적, 감정적 영역의 그것이었습니다. 부모와의 물리적 해리 — 가령 내가 성인이 되자마자 기어코 독립했던 것 — 는 그에 따른 필연 일부에 지나지 않았습니다. 또한 나는 부모의 유전자가 나의 유전적 한계와 속박을 명확히 한다 여겼습니다. 영유아기 부모의 양육이 나의 심리적 한계선을 명확히 한다 여겼습니다. 부모와의 사회적 경험과 거주 문화권이 내 사고 방식의 틀을 명확히 한다 여겼습니다. 부모가 가르쳐 준 사회성을 능가하는 사회적 존재가 되지 못한다 여겼습니다. 나는 부모가 물려준 유전자와 그들의 교육을 능가하는 생물학적, 사회적 존재가 되지 못한다 생각하여 종종 좌절했습니다.

내가 이 유전자를 선택한 적이 없다는 사실과, 태어남을 선택할 기회조차 없었다는 사실이 기호가 됐습니다. 내가 태어나고 성장하기 위해서는 어쩔 도리가 없는 조건이지만 그것이 나를 속박한다는 생각에는 변화가 없습니다. 그래서 나는 이를 벗어나려는 욕망이 강했습니다. 그것이 역마살이 됐습니다.

나는 부모와 원만한 관계를 유지하고 있습니다. 나는 그들을 사랑합니다. 그러나 나의 사랑은 그들이 내게 주는 것과 비교하기 어려울 정도로 작고, 너무나 달랐습니다. 그들이 내게 준 사랑은 내가 원했던 크기와 종류의 사랑이 아니었습니다. 나는 그들의 사랑에 대해 별도의 근거와 이유를 마련해야 했으나 실패했습니다. 그래서 나는 그들에게 다가가기 매우 어려워하고 꺼려 합니다. 부모의 집에 오랜 시간 머무를 수가 없습니다. 사람과의 관계에서 마음의 비대칭이 어떤 결과를 초래하는지 나는 이미 처절하게 겪어 왔습니다. 부모가 나를 사람보다 자식으로 대하는 이상 그들과의 진실한 대화는 불가능합니다.

그렇게 나는 부모의 품을 잃었습니다. 그들이 이런 나를 사랑하지 않기를 바라고 또 바랐습니다. 부모의 은혜 앞에서 이런 생각을 해야만 하는 나 자신이 두렵고 혐오스러웠습니다. 비참했습니다. 그러면 안 되는 것이었습니다. 그들이 나를 어떻게 낳고 길러주었는데, 숱한 훈육의 원인도 전부 나의 불찰이었건만 정녕 내가 그러면 안 되는 것이었습니다. 비정상입니다. 비정상 개체입니다.

고로 죽음이 임박했습니다.

顧

/ 九 /
장 소

장소성에 관하여 이야기하겠습니다.

디지털 기기의 '메모장'과 '문서'라는 현대 문명의 이기 덕분에 나는 꽤나 쉽게 내 이야기를 기록하고 수시로 수정할 수 있게 됐습니다. 그런 플랫폼은 내게 별다른 조언을 해 줄 수는 없어도 내 있는 그대로를 아무 표정 변화 없이 받아들여 주는 그런 곳이었습니다. 어쩌면 조언 하나 없다는 사실조차 내가 늘 디지털 문서에 의존했던 이유일지도 모릅니다.

종이 메모장이나 종이 문서와 다를 것이 무엇이냐 반문할 수 있습니다. 편의성의 차이는 단지 편한 정도의 차이일 뿐 근본적인 차이가 될 수 없습니다. 종이로부터 구별되는 디지털 문서의 가장 큰 특징은 글의 양과 무관하게 형태와 질량이 없다는 점입니다. 고로 언제 어디서든지 내가 찾아낼 수 있고, 동시에 언제든지 사라지게 할 수 있습니다.

토씨 하나 다름이 없이 내 말을 받아들이는 이 기특한 존재를 갑자기 언급한 것은 바로 지금 내가 적고 있는 본 문서가 그 혜택의 일환이기 때문입니다.

물론 그렇게 적은 글들도 무분별한 기호화를 피해가지는 못했으나, 적어도 ― 공책과 같은 물리적인 플랫폼과 달리 ― 메모장 혹은 문서라는 플랫폼 자체가 기호화한 적은 없었습니다. 아주 신기한 일입니다. 그래서 이들은 내 마지막 말까지도 별다른 반응이나 조치 없이 그대로 받아 적을 준비가 되어 있었습니다. 글을 적는 순간뿐이지만 나는 이 실체 없는 '장소', 그러나 신과 같이 어디에나 존재하는 그런 장소에서 평안을 느낍니다.

임박한 죽음 앞에 내게 주어진 마지막 평안 ― 일시적이라 한들 ― 의 장소가 바로 이곳일 겁니다. 어디에도 환원될 수 없는 나의 존재는 오로지 이 글이 쓰인 장소에만 현현할 것입니다. 그런 글이 조금도 위대하거나 훌륭하지 않다는 점으로 미루어 보면, 단지 내 마지막 진실함을 호소할 수 있는 타불라 라사가 어쨌거나 존재했다는 사실을 말하고 싶은 그 이상 이하의 의미도 없습니다. 요점은 '글'이 아니라 글이 쓰이는 '장소'에 있다는 것입니다.

우리는 언제나 공간에서 장소를 만들고, 또 장소를 찾습니다. 장소란 별 것이 아닙니다. 단지 공간에 의미가 결합한 것에 지나지 않습니다. 다만 그런 점에서 장소가 전제하는 아주 중요한 조건이 있습니다. 공간이 장소가 되기 위해서는 해당 공간에 '나'의 자리가 어떤 방식으로든 있어야 한다는 사실입니다. 직접적으로 나의 자리가 없거나 내가 자리한 적 없어도 다른 누군가가 자리할 곳이 있고 자리해 왔다면, 앞서 이야기한 무지개의 사례에서와 같이 '공유 경험', 곧 집단 기억에 의한 간접적인 나의 자리가 만들어집니다. 그것으로도 공간은 의미를 가지고 이내 장소성을 획득합니다.

장소와 자리를 언급한 이유는 나를 그토록 괴롭혔던 '의미'들 때문입니다. 내가 머리 누일 장소로서의 기억이나 계절, 시간대, 물리적인 공간들을 빼앗긴 이유가 여기에 있습니다. 의미의 포화와 미적 판단의 침몰을 겪은 나는 그런 '의미'들을 수용할 수 없었습니다. 고로 나의 자리가 없다는 것, 나아가 집단 기억에 의한 나의 자리조차 없다는 것 ― 무지개의 사례를 참조하십시오 ― 은 공간을 장소화하는 인간의 본능에 정면으로 투쟁하는 치명적인 손실이었습니다.

10대 초반에 시작된 역마살은 결국 나를 어느 곳에도 속할 수 없도록 만들었습니다. 사람, 기억, 공간, 시간, 계절, 날씨, 가족, 학교, 직장, 예술, 의미, 아름다움. 나의 자리는 어디에도 없었습니다. 앞선 장에서 설명했던 것과 같이 나는 내 존재가 점점 희박해져 간다고 느낍니다. 스스로 만들어 낸 '그럴듯함'을 임시 장소로 삼았지만, 내가 지불해야 하는 정신적 대가에 비해 그 장소의 지속성은 지독하게 낮았습니다.

영구적으로 할당된 좌표가 어디에도 없던 나는 숱한 임시 거처들 사이를 옮겨다니다가 최종적으로 디지털 문서로 도피했습니다. 형체도 없고 집단 기억도 없는 이곳은 내가 손수 만든 자리에 앉아 혼자서 떠드는 곳입니다. 들어 줄 사람이 없으면 혼자서 말하면 된다는 다소 무기력한 진리를 비로소 깨달은 것입니다.

장소를 잃어버린 인간은 스스로 도태됩니다. 비정상 개체가 맞이하는 소멸의 운명이 바로 이것입니다. 발 디딜 곳 없이도 홀로 설 수 있는 존재라면 참으로 다행이겠으나 그러기에 나는 나약했습니다.

장소에 대해서는 더 많은 것을 적을 수 있고 또한 적고 싶지만 이제 본 문서의 작성에도 힘이 부칩니다. 핵심은 적었으니 줄이겠습니다. 문서 작성이 끝나면 정말로 내게는 존재할 장소가 사라집니다. 그리고 마지막 장소의 상실이 목전에 있음을 느낍니다. 나는 지쳤습니다. 한 글자 한 글자 적는 것이 마치 절벽을 한 땀 한 땀 오르는 것처럼 무겁고 고됩니다.

/ 十 /
축 도

고로 죽음이 임박했습니다.

정신이 혼미합니다. 어지럽고 숨을 쉬기 어렵습니다. 고개를 들기 어렵습니다. 남아있는지도 알 수 없는 이성의 끈을 붙잡고 품위를 지키며 담담하게 글을 쓰고자 했으나 퇴고할수록 이미 나는 제정신이 아니라는 생각만 듭니다. 처음부터 나 자신에게 품위를 기대한 것부터 미련한 처사였을 겁니다. 죽음을 앞두고 굳이 그런 노력까지 할 필요가 없건만, 내게는 이 글을 읽을 누구에게라도 환원되고자 하는 욕망이 남아 있나 봅니다. 이렇게나 옹졸할 수가!

이제 글을 마무리하고자 합니다. 남은 힘도 없거니와 내가 할 이야기는 다 했습니다. 이쯤 하면 됐습니다. 권 단위의 자서전을 쓸 위인이 되지 못함은 진즉부터 알고 있었으나 정작 곳

곳에 나사 빠진 수 십 쪽의 텍스트에 담긴 스스로를 보니 처량하기 그지 없습니다. 28년. 나름 긴 시간을 살아 왔음에도 고작 이 정도 분량이면 내가 다 설명되는 것이었습니다. 고로 이를 해명이라 봐 준다면 되려 고맙겠습니다. 한 사람에 대한 설명치고는 짧디 짧으나 한 사람의 해명이 담긴 반성문이라 한다면 해명 따위를 참 길게도 늘어놓는다 싶을 것이니 말입니다.

이제 마지막 말을 남깁니다.

나처럼 사람에 얽메이는 삶이 아닌, 홀로 행복을 찾는 자들과 이미 홀로 행복을 찾아 누리고 있는 자들, 남의 시선 따위 중요하지 않다 역설하는 자들의 살아있음을 축복합니다. 나도 그대들과 같은 사람이 되고 싶었지만, 그러기에 나는 너무나 이기적이었습니다.

그래도 여전히 삶에 희망이 있다고 주장하는 자들, 어떤 상태건 그래도 살아 있음을 포기하지 말라 격려하는 자들, 살아 있음이 그 자체로 고귀하고 가치 있다 주장하는 자들. 내 감히 그대들의 앞날을 축복합니다. 나도 그대들과 같은 말을 하는 사람이 되고 싶었지만, 그러기에 나는 너무나 나약했습니다.

내게 아무런 잘못이 없다 주장하는 자들, 본디 인생이 그런 것이라 나를 토닥이는 자들, 다 괜찮다고 나를 위로하는 자들. 그대들의 존재를 축복합니다. 나도 그대들과 같은 생각을 하는 사람이 되고 싶었지만, 그러기에 나는 이미 너무나 망가져버렸습니다.

다른 것을 바란 적이 없습니다. 그 방식이 무엇이건 나 또한 그대들과 같이, 단지 행복하고 싶었던 것입니다. 그것뿐이었습니다.

고로 스스로 이겨 냈어야 했습니다. 그러지 못했습니다. 부끄럽습니다. 하염 없이 부끄럽습니다.

아픕니다. 괴롭습니다. 죽고 싶지 않습니다. 나는 죽고 싶었던 것이 아닙니다. 나 역시 희망으로 살아 가고 싶습니다. 존재하는지조차 알 수 없는 신적 존재를 향해 나는 살려 달라 수없이 부르짖었습니다. 그러나 나를 이렇게 만든 것은 나 자신이었기에 나를 구원할 수 있는 것도 오직 나뿐었습니다.

장황하게 나의 죽음을 해명한다 해 놓고도 나는 여전히 장소 없는 폐허에서 머리 누일 기억을 찾고 있습니다. 아직도 나는 사람을 사랑합니다. 나를 붙잡아 줄 존재를 찾고 있습니다. 온갖 음악을 들으며 이제는 겪지 못할 평안을 찾고 있습니다. 정처 없습니다. 어디에도 나의 자리가 없음을 안다 한들 나약해진 내가 몸부림쳐 봐야 결국 부질없는 일개 인간인 것을.

2023년 11월
玄蛾鳴

普遍辨證

이어질 일련의 문서들은 **껍데기뿐인 것**을 향한 위령이자,
그것을 비난하는 자들에게 선사하는 무기력한 폭력이다.

普遍辨證

*

과거 Z는 소리에 대한 원대한 꿈을 꾸었다. 그는 하나의 현 絃과 네 개의 현과 여섯 개의 현과 이백삼십 개의 현을 연주했 다. 그의 연주는 한때 위대한 신의 이름을 노래했다. 신은 그를 존재하게 했고, 그를 사랑했으며, 유일하고 변하지 않았다.

당신의 전략은 성공했다는 것입니다. 완벽했습니다. 당신의 신인류적 본능은 빈틈없이 효력을 발휘했습니다. 겉보기에 세 상은 여전한 것 같지만 나는 당신의 무시무시한 내면의 아름다 움이 바꾸기 시작한 결정체들을 감지할 수 있습니다. 머지않 아 패러다임은 당신으로 인해 바뀔 것입니다. 패러다임 자체 의 패러다임마저도 새로운 패러다임으로 대치할 만큼 당신의 미美는 강력합니다.

그러나 신께 노래하기 위해 Z는 엘리야의 제단 앞에서 끊임없이 위선을 강요당해야만 했다. Z는 신의 이름을 팔아 노래해야만 했다. 단지 한 겹의 껍데기를 위해서.

제단에 떨어진 불꽃에 모두가 기뻐했다. Z는 그 불이 심판이라 생각했다. 그는 화마의 열기보다, 신의 심판보다 청중의 환호성이 무서웠다. 불길이 더욱 맹렬해질수록 청중의 환호는 광기에 찬 비명에 가까워졌다. Z는 구토했다.

그의 음악은 종종 Z 자신을 대변했다. 그러나 음악은 Z가 아니었다. Z 역시 음악이 아니었다. 변하는 것은 Z가 아니라 음악이었다.

그날 Z는 그의 노래가 신께 바치는 청각적 제물이 될 수 없다는 사실을 알아차렸다. 결정적으로 그는 신의 이름조차 알지 못했다. 결국 여태껏 그가 노래한 선율은 자기 자신을 향한 메아리에 지나지 않는 것이었다.

그 후로 Z는 껍데기뿐인 껍데기가 되었다.

문제의 발단은 다음과 같습니다. 제 자신은 그러하지 못하다는 것입니다. 당신에게 그러하지 못함이 아니라 나 자신에 관한 이야기입니다. 당신은 어찌 됐건 나를 사랑하는 데 나름의 이유가 있을 것입니다. 그런데 어느 순간부터 나는 나 자신이 사랑받아야 하는 이유를 찾을 수가 없습니다. 당신이 날 믿는다 해도 내가 나 자신을 믿지 못하는데. 당신이 변함없다 해도 나는 늘 변하는데, 어떻게 제 자신을 좋아할 수 있겠습니까.

생각했다.

신앙은 그 자체로 파토스를 향하고 있었기에 Z는 그 누구보다 즉물적인 신앙관을 가지기로 했다. 음악은 그 자체로 본능적인 것을 향하고 있었기에 Z는 그 누구보다 이성적인 어레인지를 하고자 했다. Z에게 신앙은 정신과 물질이 합일하는 지점이자 둘의 경계면이었고, Z에게 음악은 표현과 관념이 합일하는 지점이자 둘의 경계면이었다.

인간은 그 자체로 외부의 것을 탐하고 있었기에 Z는 그 누구보다 자기 자신을 탐하고자 했다. Z에게 인간은 무가치한 경계면으로서의 껍데기였다.

그는 스스로 존재하고자 했다. 불가능하다는 것을 알면서도 Z는 끝내 신을 벗지 않은 채 모세의 신수神樹를 떠났다. Z의 여행, 곧 그가 발족한 프로젝트는 형식적 순수함으로 돌아가고자 하는 1인칭 아방가르드 추상이었다. 그의 본명으로 지칭되는 껍데기로부터 분리하고자 하는 모종의 핵, Z는 이를 '핵적인 추상'이라 주장했다. 프로젝트가 진행되는 동안 Z는 악보 없이 곡을 썼다. Z는 악기를 연주한 적이 없었다. Z는 노래를 부른 적이 없었다.

Z가 자신의 기억에서 문득 신의 이름 하나를 떠올린 것, 즉 뮤트*Mute*의 존재를 알게 된 것도 이때였다. 그런데 스스로가 그 토록 노래했던 신이 뮤트가 아니라는 사실을 인지한 것도 이때 였다. 존재하지 않는 것의 존재를 알게 된 Z는 혼란스러웠다.

Z는 공포에 떨었다. 가장 무서운 것은 세 번의 닭 울음소리 도, 뱀의 속삭임도 아니었다. 최소한의 징후로부터 고립되는 것, 그는 곧 선과 악 모두에게서 버림받는 것을 가장 두려워했 다. Z는 스스로를 미워했다. 수많은 사람들을 미워하는 스스로 를 미워했다. 별애하는 것은 겸애하는 것만큼이나, 혹은 그 이 상으로 어렵고 비현실적인 일이었다.

그는 기억에 현현한 신께 조아렸다. 한편으로 Z의 여행은 허황된 목적이라도 향하고 있었기에 그는 존재하지 않는 신 뮤 트에게 자신의 모든 것을 맡기고 걸어야만 했다.

어떻게든 걸었다.

문득 문제가 있었다. 알고보니 Z는 안이 비어 있는 껍데기 일 뿐이었다. 어떤 본질도 찾을 수 없었다. 심지어 Z는 스스로 의 내부에 다른 어떤 것도 품을 수 없었다.

결국 모든 것이 내게 달려있다는 결론으로 회귀할 때마다 나 는 다시 성찰해야만 합니다. 성찰이란 이름을 붙이긴 했지만, 실제로는 철저히 혼자가 되는 심연입니다. 고로 비명도, 피비

린내도 아무 소용이 없는 겁니다. 스스로에게 고통을 호소해 봤자 도와줄 나 자신은 존재하지 않습니다. 그만두라고 스스로에게 외쳐도, 자해를 멈출 나 자신 역시 존재하지 않습니다.

Z는 이에 대해 뮤트께 기도를 올린 적이 있었다. 아무런 응답도 받지 못했던 그는 침묵이 그 자체로 훌륭한 신탁이라 여겼다. 그렇게 스스로를 가리기로 했다. 침묵을 감싸는 껍데기. 존재하지 않는 것을 감싸는 껍데기. 껍데기뿐인 껍데기를 감싸는 껍데기.

Z의 프로젝트.

*

Z는 이내 발을 헛디뎠다. 물은 처음에 그의 충격을 흡수하는 듯했으나 점차 그의 기억마저 흡수하려 들었다. Z는 그곳에서 한 여인의 목소리를 기어코 빼앗기고 말았다.

왜 항상 감상만을 바라는가. ── S

Z는 수면에서 멀어지고 있었다. Z는 현재에서 멀어지고 있었다. Z는 그녀에게서 멀어지고 있었다. 물에 용해되어 가는 그의 기억들 속에서 Z는 변한 것이 없었다.

물의 인토네이션.

「머나먼 지금」

Z는 S에게 천 년을 약속했다. 혹 그것이 껍데기뿐일지 몰라도 그녀는 더없이 행복해 했다. Z는 다시 몸부림치기 시작했다. 그러나 물은 가차없이 기억을 강탈했다. Z가 그 기억을 빼앗기지 않으려 했던 이유는 사실 다른 데 있었다.

「머나먼 지금」

Z는 S에게 이별을 고했다. 차마 껍데기를 그녀에게 줄 수 없었다. 그녀는 아무 대답도 하지 않았다. Z가 더욱 격렬하게 몸부림쳤으나 물은 또다시 기억을 강탈했다. Z는 그것으로 끝이기를 바랬다. 그가 그 기억을 빼앗기지 않으려 했던 이유는 사실 다른 데 있었다.

「머나먼 지금」

그녀가 죽었다.

Z는 더 이상 중력을 느끼지 못했지만 여전히 가라앉고 있었다. 죽음을 잊은 그에게 생명을 소유할 자격 따위 없었다. 그래서 Z는 그녀의 마지막 한 마디를 ― 의미를 더 이상 이해할 수 없었으므로 ― 미련 없이 물에 내주었다.

너는 껍데기가 아니니라. ― S

Z는 맥락도 알지 못한 채 껍데기뿐인 껍데기가 어째서 껍데기가 아닐 수 있는지 이해해 보고자 했다. Z는 물에게 마지막 변론을 위한 시간을 구했다.

어떤 논리를 생각해 내기에 이르렀다. 모든 코어는 스스로의 내부에 다른 것을 품을 수 없었다. 코어는 안이 비어있는 껍데기였다. 본질의 비애란 그런 것이었다. 스스로 존재하는 자의 비애란 그런 것이었다. 신의 비애란 마찬가지로 그러한 것이었다.

다른 어떠한 껍데기보다도 얇고 공허했다. 코어와 코어 아닌 것 사이의 경계 역시 코어 스스로가 존재시켜야만 했다. 그래서 다른 어떠한 껍데기보다도 고독한 잔향이었다.

이런 껍데기들은 대개 100을 부여하고 0을 부여받는다. 그로부터 '코어'로 승격. 따라서 껍데기뿐이었던 과거의 어떤 껍데기는 모든 것의 조상이 되었음에 틀림없었다.

열린 곡면의 껍데기로 나동그라진 모습을, 그는 물 속에서 비로소 자각했다. Z는 몸부림을 멈췄다.

「!」

마지막 공기를 내뱉으면서 Z는 들리지 않는 교성을 질렀다. 죽음을 기꺼워했다. Z도 알고 있었다. 그것은 아둔한 찰나의 쾌락이었다.

*

Z는 조금도 젖지 않은 채 길에 있었다. 기억의 삼킴은 늘 무의미한 죽음으로 막을 내리곤 했다. 자신이 기억의 배설물이라 느끼는 것에 그는 매번 진저리를 쳤다.

다시 걸었다.

S가 Z에게 음악이 무엇인지 물은 적이 있었다. 이에 Z는 그녀에게 대화가 무엇인지 물었다. 그녀는 그것이 음악이라 했다. Z는 그것이 두려움이라 했다. 그녀가 Z에게 음악이 무엇인지 다시 물었다.

「죽으면 끝나는 소리」

Z는 그 순간 그녀에게 필요한 한 마디의 느낌과 뉘앙스조차 소리 내지 못했다. 두 번째와 세 번째 순간에도 Z는 그녀에게 속삭이지 못했다.

기억에 잠식당하지 않기 위해 다음 순간을 다음 현재로 바쳤건만 이는 기억의 비열한 계략에 불과했다. 모든 순간이 무한대로 치닫는 현재로 변질, 다시 n번째 순간에 Z는 그녀에게 속삭이지 못했다.

결론짓기를, 낌을 받고 싶어 함을 '두려움'이라 명명했다. 무음에 대한 두려움이었다. 죽음에 대한 두려움이었다. $A^\flat$에 대한 A의 두려움이었다.

저를 믿어 주는 사람은 아무도 없었습니다. 저는 모두로부터의 신뢰를 잃었습니다. 처음엔 사람들이 제게 잘해 주는 것이 진심인 줄 알았으나 알고 보니 그들에게 저는 한 명의 정신병자일 뿐이었습니다.

이런 저런 얄팍한 근거를 대며 스스로를 합리화하는 나 자신을 보고 저는 스스로에 대한 신뢰마저 완전히 잃어버렸습니다.

과거 예수는 자신이 만든 의자에 자신을 재판할 사람이 앉아 있음을 보았다. 자신이 만든 책상에 자신을 고문할 도구들이 준비되어 있음을 보았다. 자신이 만든 선반에 자신을 정죄할 유대교의 경전이 놓여 있는 것을 보았다. 예수는 노래를 부른 적이 없었다. 예수는 두려웠다.

*

Z는 자신을 좋아하는 모든 것에서 멀어졌다. Z는 스스로의 가치도 잃었다고 여겼다. 무언가가 그를 좋아한다는 것은 논리적으로 말이 안 되는 것이었다.

Z는 어쩔 수 없이 음악을 틀었다. 적어도 무음 속에서 그에게 들리는 저음역의 이명보다는 나았다. Z는 어쩔 수 없이 곡을 썼다.

「아멘」

베드로가 거꾸로 못 박힌 십자가에서 가장 견디기 어려웠던 고통은 지면으로부터 곧장 전해지는 난폭한 진동이었다. 그는 먼저 세상을 떠난 선생 예수를 대신하여 숨을 거두기 직전까지 자신의 머리에 지구 전체가 내뿜는 진동의 무게를 이고 있어야 했다.

베드로는 천천히 이성을 잃어 갔다. 그는 마지막 힘을 다해 주의 이름으로 기도했다. 그것은 예수를 부인한 스스로의 목소리에 구하는 용서였다. 한편으로 그것은 소리내는 모든 피조물에 구하는 용서였다.

「...」

Z에게는 아름다움을 향유할 자격조차 없었다.

＊

「당신의 곡은 그녀를 향하고 있었나요?」

진료하는 어투. Z는 과거에 자신이 받았던 질문을 기억했다. Z는 이에 그러했다 답했다.

「그 곡들은 여전히 그녀를 향하고 있습니까?」

음악과 달리 곡은 변하지 않았다. 그것이 '곡'이 가지는 처절한 한계였다. 그는 아무 대답도 할 수 없었다.

생각했다.

껍데기가 어떻게 영혼을 가지는가에 대해서. 혹은 어떻게 영혼이 되는가에 대해서. 자신의 영혼이 아닌 자신의 육신의 영혼에 대해서. 영혼이 떠난 자신의 육신에 대해서. 죽은 자의 영혼이 아닌 죽은 자의 육신의 영혼에 대해서. 죽은 자의 육신이 어떻게 영혼이 되는가에 대해서.

정작 Z는 근거를 알지 못하고 주장만 해 왔다. Z는 자신이 어떤지 알고 있었다. 자신의 곡들이 어떤지 알고 있었다. 그것들이 선험적인 어레인지라는 환상에 취했으나 실상은 형편없는 모방과 키치의 난립임을 알았을 때 Z는 자신을 좋아하는 모든 것에서 멀어졌다.

어디에도 Z의 '나'는 없었다. 그것은 잃어버린 것이 아니라 처음부터 존재한 적이 없는 것이었다.

Z는 뮤트를 기억해 냈다. 세상이 뮤트를 잃었다 주장한다면, 동시에 뮤트는 처음부터 존재한 적이 없었다.

항상 그렇게 대해 줄 수는 없느니라. — S

Z는 진실을 갈구했다. Z는 '처음'을 정의하는 기억을 찾아야 했다. Z는 '나'를 정의하는 두 귀를 찾아야 했다.

멈췄던 걸음을 뗐다.

*

신을 떠나기 전에 Z는 일곱 성상 앞에 선 적이 있었다.
유물론에 기반한 곡성曲性을 죄목으로 적시하는 재판.

Z의 변론은 이러했다.

「곡은 관념에 선행합니다.」

빛과 어둠은 소리를 내었는가.
첫 번째 성상의 반론은 이러했다.

「곡은 창조된다.」

물과 하늘은 소리를 내었는가.
두 번째 성상의 반론은 이러했다.

「형식은 관념이다.」

땅과 나무는 소리를 내었는가.
세 번째 성상의 반론은 이러했다.

「음악은 곡의 선결조건이다.」

해와 달과 별은 소리를 내었는가.
네 번째 성상의 반론은 이러했다.

「곡은 기억의 현전이다.」

움직이는 모든 생물은 소리를 내었는가.
다섯 번째 성상의 반론은 이러했다.

「모든 곡은 의도를 가진다.」

인간은 소리를 내었는가.
여섯 번째 성상의 반론은 이러했다.

「곡을 위한 곡은 껍데기뿐이다.」

안식은 침묵이었는가.
일곱 번째 성상의 반론은 이러했다.

「껍데기는 코어 안에 있을 수 없다.」

들으시기에 좋았는가.
Z의 최후 변론은 이러했다.

「껍데기뿐인 곡은 자체로 코어입니다.」

Z는 조아린 고개를 들었다.
모든 성상에는 귀가 없었다.

*

뮤즈*Muse*는 뮤트에서 유래했다.

普遍辨證

창조 이전에 뮤즈와 뮤트는 존재와 존재하지 않음에 관한 논쟁을 벌였다. 뮤즈는 존재의 기쁨을 노래하고자 했고 뮤트는 존재하지 않음의 평온을 묵상하고자 했다. 뮤즈는 끊임없이 새로운 것을 만들어 냈다. 뮤트는 한결같이 그것을 감쌌다. 뮤즈는 영감의 위대함을 숭배했다. 뮤트는 아무것도 숭배하지 않았다. 뮤즈는 약동하는 천지에 감탄했다. 뮤트는 무엇에도 감탄하지 않았다. 뮤즈는 웃고 울고 놀라고 노했다. 뮤트는 아무렇지 않았다. 뮤즈는 인간과 소통하고자 했다. 뮤트는 그 누구와도 소통하지 않았다. 뮤즈는 기대했다. 뮤트는 걱정했다. 뮤즈는 신과 거래하고, 악마와 결탁했다. 뮤트는 스스로 존재해야만 했다. 뮤즈는 솔리드를 창조했다. 뮤트는 보이드를 인식했다.

뮤즈는 음악을 발명했다. 뮤트는 침묵을 발견했다. 뮤즈는 탄생을 발명했다. 뮤트는 죽음을 보듬었다. 뮤즈는 코어를 쟁취하고자 했다. 뮤트는 빈 껍데기를 자처했다. 뮤즈는 뮤트를 비웃었다. 뮤트는 뮤즈를 이해했다.

태초에 뮤즈가 가라사대

「매질이 있으라」

창조 이전에 뮤즈와 뮤트는 존재와 존재하지 않음에 관한 논쟁을 끝냈다. 뮤즈는 존재했고 뮤트는 존재하지 않았다. 뮤트는 물질계에 현현하지 못하고 추상과 감정에 떠다니는 수밖에 없었다.

따라서 뮤트는 자신이 영속하기 위한 비대상적 숙주를 고안했다. 그것은 정체성 일반에 관한 비가역적인 디자인의 결과였다. 뮤트는 양자화된 정체성을 구현하고자 했다. 어딘가에 있는, 어디에나 있는, 어디에도 없는.

가라사대

「기억이 있으라」

뮤즈는 뮤트의 임종을 지켰다. 존재한 적 없는 뮤트의 산화로부터 뮤즈는 처음으로 실재하지 않는 것을 기억했다.

그것으로 뮤즈는 최초의 신화를 만들었다. 뮤즈는 최초의 규율을 만들었다. 뮤즈는 최초의 체제를 만들었다. 뮤즈는 최초의 기호를 생산했다. 뮤즈는 최초의 플롯을 썼다. 뮤즈는 최초의 보편자를 만들었다. 뮤즈는 최초로 이전과 이후의 관계를 사고했다. 뮤즈는 최초로 전개와 구축을 사고했다. 뮤즈는 최초로 소멸을 기억했다.

날로 영리해져 가는 뮤즈에게 뮤트가 남겨 놓은 유산은 또 다른 창조의 훌륭한 재료였다. 뮤즈는 자신이 발명한 음악에 기억을 이식했다. 개념적 껍데기가 생명을 가지는 순간. 양의 껍데기와 음의 코어. 난자와 정자. 형식과 주제. 어딘가에 있고 어디에나 있고 어디에도 없는 뮤즈의 프로젝트. 선악과.

황홀경.

뮤즈의 실험실에 정제된 광기가 감돌았다.

「머나먼 지금」

뮤즈는 최초의 곡을 썼다.

*

Z는 문득 떠오른 어떤 것과 지금껏 간헐적으로 떠오른 어떤 것들과 지금껏 애써 떠올린 어떤 것들이 무엇에서 비롯한 것인지 생각했다. 영감에 기원한 새로운 것인지 기억 한편에서 솟아오른 것인지.

Z는 답을 알지 못했으나 적어도 그것들은 그의 음악을 구성했다. Z는 역시 답을 알지 못했으나 자신의 음악이 적어도 다른 피조물의 기도와는 다르기를 바랬다. 통상적인 피조물의 기도는 스스로 존재하는 테제에 반하는 것이었다. 그러나 뮤트의 보혈로 일구어 낸 음악은 사실 신에게 부르짖는 광신도의 아우성과 다를 수 없었다.

*

「기어이」

황홀경 속에서 뮤즈는 사실 눈물을 흘렸다. 뮤즈는 최초로 사라진 것을 추모했다. 최초의 곡은 존재하지 않는 것에 대한 기억을 모종의 규율에 의해 음차한 언어와 같은 것이었다.

뮤즈는 뮤트를 기억했다.
뮤트는 어딘가에 있었다.

뮤즈는 뮤트를 사랑했다.
뮤트는 어디에나 있었다.

뮤즈는 모든 판단력을 잃었다.
뮤즈는 굉음을 부르짖었다.
뮤즈는 타락했다.

뮤즈는 뮤트를 잊었다.
뮤트는 어디에도 없었다.

Z는 뮤트를 기억했다.
뮤트는 어딘가에 있었다.

*

폐허가 된 신전 앞에서 걸음을 멈췄다.

Z는 모든 찬송 ─ 그것은 뮤즈가 고안한 '곡'이 다다른 악질의 돌연변이였다 ─ 을 거부했다.

「신을 거부하였는가.」

폐허 속에 무너지지 않은 한 성상이 있기로 Z는 서둘러 그
곳을 떠났다.

음악이 아름다워질수록 너는 죽어 갈 것이다. — S

Z는 그것이 두려움이라 했다. 그는 달리기 시작했다.

말하라. 무엇이 너를 옭아매는가. — S

「죽으면 끝나는 소리」

Z는 그 순간 그녀에게 필요한 한 마디의 느낌과 뉘앙스조
차 소리내지 못했다. Z가 지쳐 쓰러졌을 때 그는 이미 폐허의
중심부에 도착해 있었다.

귀 없는 성상의 인토네이션.

「머나먼 지금 웅대한 신전의 중심에서」

Z에게는 몸부림칠 여력이 남아 있지 않았다.
Z에게는 몸부림칠 이유도 남아 있지 않았다.
눈을 감는 것이 어떤 소리도 막지 못하는 것처럼.

「그녀가 죽었다.」

Z는 과거의 토론 ─ 흰색의 노이즈 안에서 깼다.

「모든 수식어를 제거하고자 했소.」

「무의미하오. 곡은 으레 자체로 수식修飾이오.」

두 토론자의 색은 같았다. 이어지는 노이즈의 공방.

「수식은 껍데기오?」

「아니오. 그것은 비약이오.」

「그러나 나는 껍데기를 제거하려던 것이오.」

「그대가 제거한 것은 껍데기가 아니라 본질이오.」

「어렵소.」

두 토론자는 고요해졌다. 그들은 Z를 경멸했다. 자연히 Z는 모든 것에서 누락되기 시작했다. 신의 묵시로부터, 예술로부터, 그녀로부터.

입이 없는 나방이 말했다.

「아방가르드는 실패했다.」

예술 너머의 것을 탐하려다 예술마저 상실한 껍데기. 그들은 이미 자멸하는 알고리즘을 전제하고 있었다. 영 번째 신의 존재를 부정하는 뻐꾸기의 종자 ― 「이 개체는 스스로 첫 번째 신이 되었소.」 ― 에 의해 침묵은 그렇게 죽었다. 이를테면 신이 유일신이라는 교리는 철저히 조작된 결과였다.

「너희의 죄를 사하노라.」

창조는 타락을 예정하고 타락은 갱생을 예정하며 갱생은 창조를 정당화하는 뻔뻔한 격세 유전으로 이용됐다. 열띤 변론과 논쟁이 귀결한 내용은 이상하게도 창조론을 부인하고 있었다. 그럴 수밖에 없었다. 조현병에 시달린 피조물은 최소한의 희망이라도 품고 싶어 했다.

Z는 여전히 자신이 노래했던 신의 이름을 알지 못했다.

普遍生涯: 解題

普遍生涯: 解題

어느 정신분석학자의 해설

현아명[필명]의 책 『보편생애』는 2023년 말 현씨가 실종된 후 자택에서 발견된 『보편생애』 초도인쇄본[27]을 바탕으로 출간되었다. 초도인쇄본 원문의 디지털 파일이 없어 출간을 위해 처음부터 다시 작성해야 했는데, 본문의 필사뿐 아니라 현씨 가족의 요청으로 책의 조판까지 최대한 비슷하게 해야 했다. 필자는 활자에 능한 디자이너를 수소문했고, 책의 판형부터 표지와 목차 디자인, 본문 서체와 크기, 색상, 문서 여백, 자간, 행 간격, 문단 간격, 각주 스타일 등을 최대한 비슷하게 작업하도록 지시했다. 여전히 약간의 차이는 있겠지만 그의 노련함 덕분에 초도인쇄본을 거의 복각한 수준으로 정식 1쇄를 출간하게 됐다.

---

[27] 경찰이 인쇄소를 조사한 결과에 따르면 초도인쇄본은 4부가 제작된 것으로 보이며, 필자가 이 글을 작성하는 시점에서 현씨 자택에서 발견된 1부를 제외한 나머지 세 권의 행방은 묘연하다.

초도인쇄본의 목차에는 「보편생애」, 「보편변증」, 그리고 「보편생애: 해제」까지 세 편의 제목이 기입되어 있었으나 본문에는 앞의 두 편만 온전히 실려 있었다. 세 번째 글 「보편생애: 해제」는 간지로 구분되어 있긴 했지만 그 다음 한 쪽에 단 한 줄의 본문만 적혀 있었다. 이 책 본문의 가장 첫 문장이기도 한 "죽음이 임박했습니다."가 그것이다. 처음에는 현씨가 한 문장으로 완성된 글을 의도했으리라 생각했지만, 초도인쇄본 이전에 그가 퇴고를 위해 복사용지에 직접 인쇄한 것으로 추정되는 가출력본이 그의 일터에서 발견되면서 단지 모양만 확인하기 위한 샘플 본문이었음이 드러났다.

『보편생애』의 가출력본은 현재 두 개가 남아 있으며, 실제 가출력은 최소 6번으로 추정된다.[28] 깨끗하게 인쇄 및 제본만 되어 있던 초도인쇄본과 달리 가출력본에는 글의 방향과 구성에 관한 날카로운 지적, 오탈자 교정과 문장을 다듬은 흔적, 표지와 간지의 디자인에 관한 몇몇 스케치 및 종이 재질 계획, 서체와 글자 색상 계획 등, 현씨가 자필로 작성한 붉은 표시와 메모들, 그리고 의미를 알 수 없는 낙서들이 빼곡했다. 이 책의 앞선 두 편의 글이 현씨가 모든 것을 해명한 글이라 주장했지만, 그가 자신의 상태를 평상시 겉으로 드러내지 않았던 터라 전후 맥락을 파악하기 어려운 상황에서 발견된 가출력본과 그곳

---

[28] 이는 현씨가 가출력본마다 적어 놓은 인쇄 날짜와 번호 때문이다. 발견된 두 개의 가출력본 맨 앞장에는 각각 "퇴고용 #02", "퇴고용 #06"이라 적혀 있었다.

에 적힌 메모는 나름 현씨의 심경을 파악하는 중요한 단서가 되었다. 그도 그럴 것이 경찰의 설명에 의하면 현씨는 실종되기 전 집과 사무실을 청소하고 대부분의 짐을 버렸으며, 본인의 웹 계정들과 컴퓨터, 클라우드까지 모조리 정리하는 바람에 단서가 될만 한 것이 거의 남아 있지 않았다.[29] 다만 업무에 관한 수천 장의 출력물이 이리저리 뒤섞인 현씨 근무처의 폐지함을 꼼꼼하게 살펴 본 사무실 직원들 덕분에 해당 가출력본이 발견됐던 것이다.[30] 사실 가출력본의 발견이 실종된 현씨의 행방을 추적하려던 경찰에게는 그다지 도움이 되지 않는 성과였다. 그럼에도 경찰 측은 현씨 가족분들이 실종 직전 현씨의 심리 상태를 구체적으로 이해할 수 있도록, 그들의 동의를 구해 가출력본을 필자측에 제공하며 분석을 의뢰한 바 있다.

두 번째 가출력본[이하 '2번']과 여섯 번째 가출력본[이하 '6번'] 사이에는 큰 차이가 있었다. 2번의 경우 『유언의 초고』라는 완전히 다른 제목에 현씨의 본명이 적혀 있었고 — 마찬가지로 한자로 쓰여 있었다 — 본문도 현재의 「보편생애」에 해당하는 글만 단독으로 실려 있었다. 그런데 6번에 이르러 초도인쇄본과 동일한 제목과 필명으로 변경되었고 현재의 「보편변증」에 해당하는 글이 새로 등장했다. 2번과 6번 사이에 현씨가 "유언"과 본명을 파기하면서 원래의 유언에 해당하는 글 이

---

[29] 휴대폰은 발견되지 않았는데, 실종 이전에 통신을 끊고 폐기한 것으로 추정된다.

[30] 나머지 가출력본은 현씨가 자택에서 버린 것으로 추정된다.

외의 것을 등장시켰다는 것은 그가 글을 쓰면서 어떤 변곡점이 있었음을 시사한다.

이 변화를 이해하기 전에 참조할 사항으로 「보편변증」의 변경 전 제목을 들 수 있는데, 6번에서 처음 나타난 두 번째 글의 제목은 "Audissey"였다. 글만 보면 「보편생애」와 형식적으로 상당한 괴리를 보이기에 필자 개인적으로도 처음엔 6번에서의 영문 제목이 보다 어울린다 생각했다. 그럼에도 "보편OO"의 형식으로 묶은 것은 ─ 현씨가 세션에서 내게 누차 강조했던 "변증법"적 구도가 글에 녹아 있다는 사실과 별개로 ─ 현씨가 단순히 글을 추가하여 두 편의 글을 엮은 것이 아니라 해당 글도 유언의 일부로 편입시키기 위함으로 보인다. 실제로도 현씨의 글 전체를 파악하고 난 뒤 「보편변증」을 다시 보면 「보편생애」를 부연하거나 이해의 실마리를 제공하고 있음을 알 수 있다. 「보편변증」에 드러나는 기억과 존재에 관한 현씨의 사유가 대표적인 예시다.

"유언"과 본명의 파기 및 "보편"과 필명으로의 전환은 역으로 이 책이 현씨가 말하는 스스로의 운명 ─ 현씨의 표현에 의하면 "소멸"로 지칭되는 ─ 에 보다 적합한 형식의 유언이 되기 위한 선택으로 추측된다. 본명과 필명 및 "유언"과 "보편"의 차이는 곧 '특정'과 '불특정'의 다름이며, 현씨가 언급한 "환원"과 "소멸"의 대립과 통한다.

필명은 알려진 바와 같이 원래의 자신을 문학적으로 살해한다는 보편적인 명분 하에 자신의 존재를 가상의 '어떠한 인물'로 흩뜨려 놓는다. 유언은 그 주체를 한 사람으로 특정하는 반면 "보편생애"는 그 삶 자체를 '누군가의 삶'으로 후퇴시킨다. 「보편생애」 제8장의 내용과 제10장의 가장 마지막 문장, 스스로가 "일개 인간"임을 시인하는 무기력함에서 그 근거를 확인할 수 있다. 영어를 빌려 부연한다면 필명은 'the man'을 'a man'으로, "보편"은 'the life'를 'a life'로 희석시킨다. 해당 '특정 – 불특정'의 관계를 '환원 – 소멸'의 관계로 이해한다면 현씨가 자처한 "소멸의 운명"의 의미를 구체화할 수 있다.

우선 현씨가 '정상 – 비정상' 대립의 결과를 '환원 – 소멸'의 구조로 설명한 것을 짚어야 한다. 곧 "정상"은 "환원의 축복"을 얻고 "비정상"은 "소멸의 형벌"을 초래한다는 것이다. 그의 관점에서 정상적인 사람의 죽음은 곧 모든 사람이 그를 뚜렷하게 주목하게 되는 '특정적 환원'이 된다. 반면 현씨 자신이 포함된다 주장하는 "비정상 개체"의 경우 "정상 개체들 사이에 숨어 들어 정상의 탈을 쓰고" 살아 가는 "도태시켜야 할 종자"의 죽음이다. 즉 수많은 정상인 사이에 숨어 그 존재가 모호해져야만 하는 '불특정적 소멸'의 운명을 겪는다.

사람들의 기억에서 현씨가 소멸하려면 현씨 스스로 어떤 식으로든 불특정성 뒤에 숨어야 한다. 예컨대 "유언"과 본명의 파기 및 "보편"과 필명으로의 전환이 바로 그러한 시도의 일환이었을 것이다. 최소한 그의 마지막을 담은 문서가 불특정성을 띤다면 그것만으로도 현씨는 보다 안정을 ― 상대적이겠으나 ― 느꼈을 것이다.

사실 그가 불특정한 존재로 소멸하기 위한 시도는 "유언"과 본명의 파기 이외에 한 가지가 더 있는데, 바로 이 책을 출판하는 행위다.[31] 출판 및 유통이 진행된 책은 현씨 자택에서 발견된 유일한 초도인쇄본처럼 단독으로 명백하게 현씨를 지시하지 않고 여러 곳에 동시에 존재하며 수많은 책 사이에 놓이는 '어떤 사람의 어떤 생애에 관한 어떤 책'이 된다. "보편"과 필명으로의 전환은 결국 출판을 통해 보다 완전한 불특정성에 다다르기 위한 현씨 계획의 일부라 할 수 있다.

이에 관련된 내용이 현씨가 글에 언급한 그의 "공장", 즉 "그럴듯함"의 생산을 통해 "죽음을 유예"하는 방식이다. 보다 구체적으로 말하면, "죽음을 유예"하는 보편 원리는 "존재의 확인"이며 그 수단으로 현씨가 택한 경로가 "그럴듯함"의 생산이었다. 여기서 죽음의 유예는 다름 아닌 "소멸"의 유예다. "소멸"을 유예하려면 "환원"을 전제해야 하며, 유예의 대상이 자

---

[31] 그가 출판하고자 했다는 근거는 어렵지 않게 확인이 가능했다. 현씨가 실종되기 한 달 전 즈음부터 그의 누나를 포함 ― 그녀는 출판사업자등록 경험이 있었다 ― 하여 주변 몇몇 지인들에게 독립출판에 대해 물어 본 정황과 인쇄소 몇 곳에서 대략 견적을 뽑았던 기록, 그리고 가출력본 6번의 메모에서 드러나는 편집 방향 및 인쇄 방식에 대한 치밀한 고민들이 그것이다.

기 자신이라면 "환원"은 곧 자기 존재의 명료함을 확인하는 것으로써 실현 가능한 것이 된다.

지금 단계에서 독자는 한 가지 모순을 발견할지도 모른다. "공장" 가동의 예시인 출판 행위가 스스로의 존재를 확인하는 "환원" 행위라면 — 더욱이 작품을 만들어 세상에 자신을 알리는 것이니 '특정적 환원'에 가까운 것이 아닌가 — 어째서 필자는 출판 행위 역시 불특정한 존재로 소멸하는 방식이라 주장하는가.

이어서 설명하면, 현씨가 언급한 존재 확인으로써 죽음을 유예하는 '원리'는 필자가 보기에 보편의 영역에 해당한다. 따라서 독자의 의문은 합당하다. 이에 더해 현씨가 스스로를 "비정상 개체"라 주장한 것을 상기해야 한다. 가령 그가 내내 언급하는 예술, 사랑, 죽음 등은 다분히 일반적인 소재들이다. 그러나 현씨가 일반적인 소재를 다루는 방식, 곧 책의 주제는 일반적인 개념을 뒤틀거나 상식적인 수준을 넘어 과도한 분석을 시도하고 있다.[32] 결국 그는 "비정상 개체"이기 때문에 자신을 제외한 사회적 다수 — "삶 일반" — 에 의해 약속된 일반 개념을 "정상"적인 방법으로 이해하지 못한다 단정해버렸다.

---

[32] 현씨의 책이 철학에 관한 학술 서적이 아님에도 그런 글의 형태를 띠는 부분이 있는 것은 이 때문이다. 이 책이 일반 개념들의 의미를 확장하고 원리를 상세하게 분석하는 학술 서적이었다면 과도한 분석이 아닌 학술적 견해로 봐 줄 수도 있었다. 물론 현씨의 글에는 그 정도 수준의 학술적 근거와 논리의 전개는 담겨 있지 않으며, 현씨도 학술서를 의도하지 않았을 것이다. 현씨가 실제로 쓴 논문에는 독할 정도로 많은 각주가 달려 있다.

그래서 그가 "비정상 개체"라는 주장이 상기한 모순을 어떻게 타개하는가. 위에 언급한 일반 개념 이해 문제와 같이 현씨는 자신의 "비정상성"이 모든 것을 역설로 전복시킨다고 여겼다. "생산" 활동 또한 마찬가지다. 일반적인 관점에서 보면 지극히 건전하고 바람직한 자기계발 방식이다. 필자 역시 그런 점에서 현씨를 내심 존경했을 정도다. 그러나 언제까지나 일반적인 관점에서만 그렇다.

현씨에게 해당 행위는 긍정적 의미의 자기계발이 아니라 "정상의 탈을 쓰"기 위해 만들어 내는 "그럴듯함"의 생산이었다. 그가 이를 반복해야만 했던 것은, 비유하자면 신제품을 제작하는 것이 아니라 불량품이 불량으로 보이지 않게 하기 위해 수리하는 것에 가깝기 때문이며, 그것이 불량품인 한 끊임없이 수리가 요구됨과 동시에 아무리 수리해도 절대 정상 제품의 수준에 다다를 수 없기 때문이다. "존재의 확인"이란 일반적으로 성취감, 자아실현 등으로 스스로를 더욱 공고히 하겠지만 현씨에게는 자신이 쓴 정상인의 "가면"을 확인하는 것으로, 곧 정상 사회에 체류할 보편 생애 자격의 갱신이다. 따라서 현씨가 "소멸의 운명"에 처해 있다고 여긴 것은 결국 소멸로써만이 존재를 유지할 수 있다는 — 정상이 될 수는 없어도 정상의 영역에 거할 수 있는 — "비정상"적 역설에 의한 것이며, 종국에 "소멸"로서의 죽음에 이른 결론이라 보아야 한다.

이에 따라 출판 행위도 현씨에게는 일종의 수리와 같은 것이었다. 특히나 '유언'의 성격을 띠면서 글 형태까지 특이한 현씨의 책이 불특정성으로 소멸하기 위해 "보편"과 필명, 출판까지 계획한 것이며, 결과적으로 현재에 이르러 이 책을 '소설'로 분류하여 출판하는 것도 글의 내용 자체를 허구의 이야기로 후퇴 및 소멸시키기 위한 것이다.

이 맥락을 이해한다면 현씨가 직접 출판하지 않고 — 혹은 못하고 — 초도인쇄에 그친 이유도 짐작할 수 있다. 더 이상 수리하지 못하는 수준의 하자에 이르렀거나 수리를 포기한 것, 요컨대 "정상의 탈을 쓰"는 것을 멈춘 것이었다. 그리고 불특정성으로의 소멸이 멈춘 "비정상 개체"는 그의 말처럼 "도태시켜야 할 종자"로서 마지막 심판, 즉 "소멸의 형벌"에 처할 것이고, 현씨는 이를 "순리에서 어긋"난 "불명예스러운 죽음", 곧 "스스로 목숨을 끊는 행위"로 받아들였을 것이다.

물론 현실적인 이유도 있었을 것으로 추측된다. 초도인쇄본의 마지막 글 「보편생애: 해제」가 미작성 상태였으므로 애초에 완성된 원고가 아니었으며, 결국 탈고 및 출판 단계에 다다르지 못한 채 스스로를 더 견디지 못한 현씨가 극단적 계획을 실행한 것으로도 보인다. 감히 예상컨대 만일 현씨가 책을 출판한 후에 떠났다면, 그는 자택에 해당 책을 절대 남겨 두지 않았을 것이다.

다만 상식적으로 이러한 행위는 그가 주장하는 존재의 모호함으로 직결되기 어렵다. 그가 책의 저자명을 필명으로 바꾸고 제목에서 "유언"을 제거했다 하여 사람들이 이 책이 현씨의 유서란 사실을 모를 리 없다. 당장 첫 문장이 "죽음이 임박했"음을 알리고 있으니 말이다. 설사 실종 전 출판이 되어 자택에 아무것도 남기지 않았다 해도 책의 존재는 수사 과정에서 어떻게든 드러날 수밖에 없기 때문이다. 현씨도 이를 모르지 않았을 텐데 왜 이렇게까지 했을까.

앞선 "소멸" 분석에서도 보이듯이 현씨에게는 '굳이 이렇게까지 했던 것'이 아니라 '이렇게까지 해야만 했던 것'에 가까웠다. 「보편생애」 제8장 "역마"에서 현씨가 스스로 분석한, 책상 위의 가위를 치우는 행위와 동일하다. 실질적인 효과는 없지만 신경증에 대처하는 모종의 상징적 행위인 것이다. 다만 그의 어린 시절과 실종 전 현씨의 중요한 차이점은 최근의 현씨가 스스로의 행위 의미를 파악하고 있었을 것이라는 추측이다. 현씨가 출판을 하지 않고 ― 혹은 하지 못하고 ― 사라진 것은 어쩌면 그가 더 견디지 못한 것이 아니라 그런 자신의 "상징적인 의식儀式" 행위에 대한 환멸에 기인했을지도 모른다.

그리고 상기한 모든 분석 내용은 현씨의 책 두 번째 글 「보편변증」에 빠짐없이 녹아들어 있다. 언뜻 보면 이 글은 종교적 상징으로 가득한 파편적인 글귀들의 군집으로 보이지만, 「보편생애」를 참조할 경우 글의 파편 사이로 교묘하게 엮이는 몇 가지 가닥을 발견하게 된다. 필자는 앞서 「보편변증」이 「보편생애」를 부연하거나 이해의 실마리를 제공한다 말했다. 보다 구체적으로 말하면 「보편변증」은 특히 「보편생애」 제3장 "예술"과 제4장 "정치"를 부연하고 있으며, 동시에 「보편생애」 전체를 관통하는 "자멸하는 알고리즘"으로 스스로를 요약하고 있다.

아무튼 현씨의 글이 아닌데도 현재 장 「보편생애: 해제」의 글이 현씨의 책에 추가된 것은 사실 현씨의 의중을 추정하여 반영한 것이다. 앞서 언급했던 것처럼 「보편생애: 해제」는 현씨가 제목까지만 적어 두고 내용을 작성하지 않았으나, 가출력본 해당 페이지에 큰 동그라미와 함께 필자에게 요청한다는 짤막한 메모가 적혀 있던 것이 결정적인 계기가 되었다.

아쉽게도 현씨가 무엇을 요청하려 했는지는 부연되어 있지 않았으나 필자가 메모에 언급된 이상 경찰과 현씨의 가족분들께 이에 대해 나름대로 해명해야 했다. 하여 필자는 현씨의 성격을 토대로 메모에 대해 두 가지 해석을 제시했다. 첫째는 그가 세션에서 글 내용을 말하고 필자의 자문으로써 스스로에 대한 분석의 전문성을 확보한 뒤, 이를 자신이 보완하거나 있는 그대로 적을 계획이었지만 모종의 이유로 그만두고 글을 마쳤을 가능성이다. 현씨는 사석에서 본인의 어릴 적 기억을 스스로 분석한 내용을 말하며 그에 대한 필자의 자문을 요청한 적이 있는데, 그때의 대화를 통해 보완된 현씨의 분석이 「보편생애」 제8장 "역마"에 일부 반영되어 있었다.

둘째는 그가 글 전체를 필자에게 제공하고 이에 대한 해제를 직접 요청했을 가능성이다. 두 경우의 수는 공통적으로 필자가 현씨를 분석한다는 것을 전제하는데, 이는 현씨가 스스로를 분석하고자 했던 사실과 더불어 필자가 현씨의 분석을 검토하거나 현씨를 직접 분석하는 것을 그가 상당히 반겼기 때문이다.[33] 필자는 이러한 의견을 경찰과 현씨의 가족 분들께 전달했고, 그들이 이를 받아들인 후 내게 「보편생애: 해제」의 작성을 요청해 온 것이다.

필자는 현씨와의 대화 및 세션을 즐겼고 그를 흥미로운 분석 대상으로 여긴 바 있다. 그렇다고 흔쾌히 요청을 받아들일 수 있는 것은 아니었다. 필자 또한 현씨의 실종과 그가 남긴 인쇄본들을 분석하고 사나흘간 이곳 저곳을 오가며 나름대로 정신적 에너지 소모가 컸기 때문이다. 그러나 현씨 가족 분들이 필자의 수고에 과분한 감사의 표시를 종종 전달해 왔고, 그의 출판 의지를 실현해 주고자 하는 바람을 도저히 모른 척할 수 없었다. 게다가 공교롭게도 현씨가 실종되기 전 마지막으로 깊은 대화를 나눈 상대가 필자인지라 누구도 강요한 적 없는 책

---

[33] 심지어 그는 다른 전문가들보다도 고작 레지던트에 불과한 필자를 신뢰한다 말한 적도 있었다.

임감 비슷한 감정이 있기도 했다.

무엇보다도 일말의 가능성을 포기하고 싶지 않았다는 사실이 컸다. 현씨의 가족 분들의 마음과는 감히 비교할 수 없지만, 현씨가 실은 살아 있고 어느날 문득 돌아와서 필자가 작성한 해제와 출판된 그의 책에 관해 의견을 늘어놓기를 필자 또한 기대하고 있기 때문이다.

필자는 고민 끝에 요청을 수락하면서 현재 장을 익명으로 작성한다는 것과 현씨의 필명 유지를 조건으로 걸었다.[34] 필자도 마찬가지로 현씨와 같이 특정 인물이 아닌 'a friend', 구체적으로는 'a psychoanalyst'로만 남아 있고 싶었고, 이 책이 언제까지나 현씨의 책이어야 한다는 생각 때문이었다. 감사하게도 현씨의 가족 분들이 조건의 수락뿐 아니라 현재 장의 작성 건 자체를 필자에게 일임하여 글의 구성부터 길이와 내용까지 원하는 대로 자유롭게 작성할 수 있도록 배려해 주셨다. 심지어는 현씨에 관한 필자 개인의 이야기도 괜찮다고 하셨기에 심경의 정리와 구체적인 본문 해제 및 개인적 감상을 겸하여 당시의 생생한 기억을 풀어 후술하고자 한다.

다만 독자가 염두에 두어야 할 것은 필자의 글이 현씨의 글에 대한 어떤 대단한 주석이 아니라는 점이다. 우리가 대단한

---

[34] 정확히는 필자가 이해한 현씨의 의도를 수용할 것을 조건으로 건 것이었다.

지식인도 아니고 우리의 글이 대단한 글도 아니며,[35] 무엇보다 필자가 식별 가능한 학식의 영역이 현씨의 것과 극명하게 달라 부연할 능력이 안 되기 때문이다. 또한 필자가 지금껏 읽고 써 온 텍스트는 대개 학술서와 보고서, 논문 따위이므로 문학적인 유려함을 담은 문장 같은 것은 애시당초 쓰는 방법조차 알지 못한다. 이에 현씨만큼이나 졸필이지만 ― 현씨 당신이 스스로를 졸필이라 말했으니 그런 줄 알겠습니다 ― 그저 현씨와 그의 가족 분들께 헌정하는 마음으로 최선을 다해 적었다.

끝으로 꼭 언급해야 할 것이 있다. 이 책이 현씨가 본인의 실종에 관하여 남긴 사실상 유일한 자료이자 '유언'임에도 이를 출판한다는 결정은 가족 분들께도 매우 어렵고 아픈 결정이었을 것이다. 다만 그들이 현씨가 마지막으로 이루고 싶었던 것을 최우선으로 배려한, 또한 숭고한 결정이었음을 독자가 널리 이해하고 공감해 주시길 소망하는 바이다. 이상으로 현아명의 『보편생애』 해제를 마친다.

2024년 1월 31일.
― *a psychoanalyst.*

---

[35] 심지어 필자는 현씨 글의 몇몇 부분에 대해 끝까지 납득할 수 없었다.

普遍生涯: 解題

어느 정신분석학자의 기억

*

현씨의 실종 소식을 접한 것은 작년 12월 초의 어느 아침, 경찰의 전화를 통해서였다. 현씨가 일주일 전 실종됐다는 소식에 황당해 하는 내게 담당 수사관은 몇 가지 간단한 질문을 했다. 마지막으로 만난 날짜와 장소, 그리고 만남의 목적과 대강의 대화 주제 등 나와 현씨의 행적과 관계에 관한 사실 여부 확인이었던 것으로 기억한다. 각 질문마다 수사관은 조금도 캐묻지 않고 곧장 다음 질문으로 넘어가며 말을 이었다. 나는 수화기 너머의 무덤덤한 목소리에 불편함을 느끼며 주어진 질문들에 따박따박 대답했다.

통화가 끝나기 전 수사관은 추가적인 조사가 필요하니 내게 서에 출두할 것을 요청했다. 현씨의 실종과 그가 남긴 흔적에 관해 나의 설명이 필요하다는 것이었다. 혹시 내가 준비해 가야 할 것이 있는지 물었다. 수사관은 잠시 생각하더니 곧 없을 것이라 말하며, 대신 오전 중에 방문이 가능한지 되물었다.

통화가 끝난 후 숨을 고르고 교수실로 향했다. 문을 벌컥 열고 들어간 교수실에서 교수님은 업무 직전의 여유를 만끽하고 있었다. 느긋한 표정으로 용건을 묻는 교수님께 나는 일목요연하게 상황을 설명하기 시작했다. 경찰 출두 명령이라는 말에 교수님은 눈을 동그랗게 뜨고 나를 향해 고개를 돌렸다. 이어지는 교수님의 질문들에 나는 지체함 없이 답했다.

"공식적으로 제가 맡은 내원환자는 아니었지만 최근에 알게 되어 직접 제게 분석을 의뢰하고 사석에서 세션을 진행했던 가까운 지인입니다."

심각한 표정으로 일관하던 그는 이 말에 멈칫 하더니 몇 초 후 진정된 목소리로 내게 물었다.

"자살로 보이나?"

"그렇습니다."

교수님은 의자에 등을 기대며 내게서 눈을 돌려 창문을 향했다. 십여 초. 그는 천천히, 등을 일으켜 책상에 팔을 올렸다. 고개를 들어 나를 다시 바라보는 교수님의 눈빛은 어느새 내 진료 보고서와 논문을 검토하는 냉철함으로 변모해 있었다.

"몇 가지만 더 확인해야겠어요. 그렇게 무서운 표정으로 서 있지 말고 일단 앉으세요. 십 분만 이야기하시죠. 그리고 나서 경찰서에 다녀오도록 해요."

우아한 존댓말. 그의 말투와 목소리 역시 나를 지도할 때만 들을 수 있는 차분하고 날카로운 그것으로 변해 있었다. 그제야 나는 내가 선 채로 온몸을 떨고 있음을 알아차렸다.[36] 자리에 앉아 심호흡을 두어 번 하는 동안 교수님은 나를 가만히 보며 기다려 주었다. 잠시 후 교수님은 대략적인 현씨의 유형과 특징을 물었다. 그리고 언제부터 자살을 우려했는지도 물었다.

내가 알던 현씨는 치료가 절실한 사람이 아니었다. 겉보기에 큰 문제 없이 정상적인 삶을 영위하는 사람이었다. 그는 굉장히 섬세하고 친화력이 높았으며 예의가 바른 사람이었다. 내가 더 어렸음에도 현씨는 나를 꼬박 꼬박 "학자님"이라 존대하며 내 이야기를 경청했다. 또한 명석하고 정신분석에 관심이 많은 학구적인 사람이었다. 문화기호학을 공부하고 싶다며 내게 정신분석 입문 서적을 추천해 달라 한 적도 있고, 심리학계의 동향이나 내 연구의 이론적 토대를 물어보기도 했다. 정신분석에 대해 아는 바가 거의 없다며 나를 동경하는 눈빛으로

---

36 그때의 떨림은 충격과 두려움이 아니라 분노의 떨림에 가까웠다. 무엇에 대한 분노였는지 확신할 수는 없지만, 나 자신 혹은 현씨에 대한 분노 둘 중 하나였을 가능성이 높다. 확실한 것은 현씨의 실종 소식만 들은 상황에서 내게 주어진 정보의 결핍이 상당히 불쾌했다는 사실이다.

바라보곤 했으나 정작 그의 이야기를 듣고 있으면 이미 많이 알고 있고 오랜 고민을 해온 기색이 역력했다. 그는 누구나 알고 있는 기초적인 상식만으로 아는 척하는 것뿐이라며 손사래를 치곤 했다. 그러다 보니 세션도 사실 정신분석 이론에 관한 — 여기에 술을 곁들여서 — 토론에 가까웠다. 내가 현씨와 오래 알고 지낸 친구 사이는 아니었지만, 적어도 그랬던 현씨의 자살을 우려했던 적은 없었다.

"우려한 적이 없는데 왜 자살로 보는 거죠?"[37]

현씨는 자신이 취미로 쓰고 있다던 글을 언급한 적이 있었다. 내가 해당 글을 읽어 본 적은 없으나, 그것이 죽음을 앞둔 자에 관한 소설이라는 것 정도를 내게 알려준 바 있었다.

"세션에서 죽음에 관해서도 이야기했나요?"

현씨는 죽음에 대해 상당히 오랜 기간 생각해 온 사람 같았다. 또한 감성에 젖은 생각이 아니라 매우 이론적인 방식으로 죽음의 작동 방식 — 그것의 의미보다는 — 을 해석하려는 느낌이 강했다. 현씨는 눈을 반짝이며 죽음을 이해하는 자신만의 관점과 죽음의 종류 등을 설명했고, 나 역시도 재밌게 설명을 듣고 세션에 임했다. 그래서 이때만 해도 나는 그것이 그의 실종과 관계된 내용이 될 줄 모르고 있었다. 물론 죽음에 대한

---

37 실제 자살할 사람이 꼭 주변 사람들이 눈치챌 만큼 우려하게 만들지는 않음을 교수님도 나도 당연히 알고 있었다. 대신 우리는 계속 그것에 대해 질문한다.

이론적 고민이 자살의 근거가 될 수는 없다. 문제는 현씨가 말한 해당 글의 형식이었다.

"그게..."

나는 침을 삼켰다.

"소설이 유서의 형식으로 쓰일 거라 했습니다."

이 말을 하고서 나는 고개를 숙일 수밖에 없었다. 억울했다. 아직 죽음이 확인된 것은 아니었지만 이제 와서 그 말과 현씨의 실종을 연관지어 봤자 달라지는 것은 없었다. 현씨는 본인의 소설에 대해 이야기할 때 아주 분명히 기대와 즐거움으로 가득한 얼굴이었다. 그 모습을 보고 아무렴 어떤가 했다. 나는 완성되면 꼭 보여 달라 말했고, 현씨는 쑥스러워하며 자신의 글은 읽을만 한 글이 못된다고 답했다. 그저 취미로 혼자 글을 쓰는 것뿐이라며 말이다. 그렇게 그 이야기는 나와 현씨의 대화 일부로 남았다. 그 정도였다.

"확증편향이에요. 지금 [어느 정신분석학자]씨 얘기만 들어 보면, 근거가 부족한 상황에서 미래의 실망과 충격을 덜기 위해 최악의 경우를 사실로 단정짓고 있네요."

교수님은 그 말을 끝내고 자리에서 일어나 서류를 챙겼다. 그리고 옷 매무새를 가다듬으며 그날의 비번 연구원이 누가 있는지 물었다. 내가 작은 목소리로 대답하자 교수님은 그 연구원들에게 내가 그날 봐야 할 환자들을 넘기겠다 말하며 교수실을 훌쩍 떠났다. 몇 분간 교수실에서 생각에 잠겨 부족한 근거가 무엇인지 이해하려 애썼다. 정보. 정보가 필요했다.

택시에서 내린 나는 빠른 걸음으로 건물로 들어갔다. 어떻게 오셨냐는 질문에 나는 빠르게 현씨 사건과 담당 수사관의 직함을 말했다. 잠시 앉아 기다리라는 말과 함께 내부로 들어간 직원의 안내에도 나는 의자에 앉지 못하고 직원이 들어간 사무실 문만 구멍이 나도록 쳐다보았다.

곧 등장한 중년의 수사관은 무표정한 얼굴로 나와 인사하고 내 신원을 확인한 뒤 한 조사실로 안내했다. 조사실에서 수사관은 시종일관 무표정한 얼굴 그대로 통화에서 말했던 출두 요청의 이유를 다시 설명했다. 그러거나 말거나 나는 그가 건넨 물이 담긴 종이컵에 손도 대지 못하고 멍하니 앉아 상황을 정리하기 위해 머리를 이리저리 굴렸다.

조사를 시작하자마자 아니나 다를까, 수사관이 내 앞으로 지퍼백에 담긴 작은 책 한 권을 내밀었다. 별다른 그림 없이 흰 표지 우측을 따라 한자로 세로쓰기된 네 글자의 제목과 저자명. 나는 한자를 잘 알지 못해 그것을 읽을 수는 없었지만 이게 무엇일지는 충분히 예측할 수 있었다.

「이것도 내가 만들었어요.」

현씨는 자신이 직접 디자인하고 만든 것들을 내게 자랑스럽게 보여준 일이 있었다. 그는 자신이 만들어 발매했다던 음악들을 CD 앨범으로 직접 디자인하여 제작했으며, 최소 인쇄 수량 때문에 아직도 수백 장이 수납장에 쌓여있다며 웃곤 했다. 뿐만 아니라 현씨는 자신이 디자인한 여러 가지를 보여 주었는데, 개중에는 실제로 판매중인 서체도 있었고 직접 찍은 필름사진으로 만든 엽서집도 있었다. 심지어 자신의 석사 논문을 펼쳐 보이며 표지 레이아웃부터 서체, 여백 등을 본인이 완전히 새로 작업해서 예쁘게 만들었다며 자랑한 적도 있었다.

결정적으로 그는 자신이 만들어서 인쇄해 봤다던 시집을 보여준 적이 있었다. 글자가 무엇이었는지 기억나지는 않지만 그 책의 표지에도 세로쓰기된 한자 제목이 표지 우측을 따라 적혀 있었고, 표지 바탕에는 현씨가 직접 찍은 밤하늘 사진이 있었다. 디자인과는 영 연이 없던 나인지라 현씨의 말을 다 알아듣지는 못했어도 본인이 하나 하나 신경쓰며 직접 무언가를 만들어 내는 것에 큰 기쁨을 느낀다는 것 정도는 확실히 알 수 있었다. 그런 그가 예의 소설을 완성했다면, 그것 또한 반드시 책으로 만들었으리라 생각했다.

이 책을 본 적이 있는지 묻는 수사관의 질문에 나는 본 적이 없다고 들릴 듯 말 듯 대답하면서도 그 책에서 눈을 떼지 못했다. 그런 나의 모습을 가만히 보던 수사관이 입을 열었다.

"현아명이라는 사람이에요. 누군지 아십니까?"

"네?"

그제서야 나는 눈을 크게 뜨며 수사관을 쳐다보았다. 완전히 처음 듣는 이름에[38] 당황한 나는 바보같이 입을 벌린 채로 생각한 것을 입 밖으로 내어버렸다.

"그게 누군데요?"

나의 반응에 수사관은 눈을 감으며 한숨을 내쉬었다. 역시나 하는 표정이었다. 나는 그 모습에 또 한번 불쾌감을 느끼고 책으로 시선을 되돌렸다. 그는 자세를 고쳐 앉아 이야기를 시작했다. 그 책이 실제로 출판된 적 없는 책이라는 것, 현씨의 자택에서 발견되었으며 깨끗한 책상 위에 가지런히 놓여 있었다는 것, 현아명이란 사람이 현씨와 동일 인물, 즉 그것이 현씨의 필명으로 추정된다는 것, 그 책이 현씨가 유서로 남긴 것으로 추정된다는 것, 책 내용 이외에 주변 사람들에게 남긴 글이나 말이 전무하다는 것 등.

숨을 길게 내 쉬었다. 그럼 그렇지.

길지 않은 설명을 끝낸 수사관은 이와 직간접적으로 관련된 무엇이든 아는 바가 있다면 말해 달라고 했다. 나는 그제야

---

38 이때만 해도 나는 현씨에게 필명이 있다는 사실을 전혀 모르고 있었다. 이 책에서도 현씨의 본명을 밝힐 수 없으므로 "현씨"라 칭할 뿐, 그의 본명은 성씨도 이름도 다르다.

물을 한 모금 마신 뒤 현씨와의 대화에서 나눴던 이야기들에 대해 진술했다. 죽음과 유서, 그리고 정신분석.

"생각보다 가까운 관계였네요?"

나는 '생각보다 가까움'이 무엇을 의미하는지 잠시 고민하다 이내 고개를 한 번 끄덕이는 것으로 그 고민을 관뒀다. 수사관은 뒤이어 교수님과 비슷한 질문들을 하며 당시 현씨의 상태에 대해 물었다. 특히 특정 주제에 대해서는 수사관이 재차 물었다. 죽음에 관한 이야기, 유서의 형식으로 쓰인다는 소설에 관한 이야기. 충분히 캐물을 수 있다 생각했다. 그러나 내가 할 수 있는 말이 없었다. 교수님 말대로 확증편향일지 모르겠지만 나 역시 현씨가 그리 되리라고는 조금도 예상하지 않았으니 말이다.

"저희는 정말 재밌게 토론했어요. 저희 분야에서는 그런 주제로 이야기 나누는 게 흔한 일인데, [현씨]도 그걸 아는 것 같았거든요. 징후같은 건 없었습니다."

수사관이 다시 한숨을 쉬고 말하길, 현씨의 가족, 친구, 직장 사람들마저도 입을 모아 어떤 징후도 느끼지 못했다 진술했다고. 또한 본인이 내 이야기를 더 파고들어야 했던 것은 현씨가 죽음과 가까운 주제로 대화를 나눈 사람이 내가 유일하기 때문이라고도 말했다. 맞다. 비슷한 이야기를 들은 적이 있다.

「좋군요. 어디 가서 이런 이야기를 나눌 수 있겠어요.」

현씨가 나와의 대화에서 자신의 생각을 쭉 늘어놓은 뒤 항상 버릇처럼 하던 말이었다. 나 역시 현씨를 보며 그런 생각을 한 적이 종종 있었다. 내가 속한 분야의 동기, 선후배 중에 이 정도의 열정이 있는 사람이 있던가. 있더라도 이렇게 진솔하고 논리적으로 자신의 이야기를 풀어놓을 수 있는 사람이 있던가. 이렇게 배움에 목마른 사람이 있던가. 그와 대화하면 나 역시도 갈증이 해소되는 기분이 들곤 했다.

"[현씨]랑은 언제부터 친했죠?"

내가 현씨를 처음 알게 된 것은 현씨가 실종되기 불과 서너 달 전 시덥잖은 온라인 게임에서였다. 소소한 심심풀이로 즐기던 게임에서 내게 말을 걸어 온 한 사람이 있었던 것이다.

「혹시 정신분석 쪽으로 전공하셨어요?」

그것이 현씨의 첫마디였다. 게임 상에서 그것을 어떻게 알았는지는 뻔했다. 내 캐릭터들의 닉네임이 모조리 '정신분석'을 포함하고 있었기 때문이다. 그렇게 대화가 오가며 현씨와 나는 금세 친해졌다. 이후로 종종 함께 게임을 즐기면서 정신분석에 관한 이런 저런 이야기를 나누었고, 현씨와 나 둘 다 서울에 있는 고로 날을 잡아 함께 술잔을 기울이게 됐던 것이다. 특이했던 점은 실제로 만나서 통성명을 했음에도 불구하고 여전히 나를 게임 속 내 캐릭터의 닉네임 일부를 따서 "학자님"
이라 불렀다는 것이다. 내가 그 이유를 물었을 때 그는 그렇게
부르는 것이 좋아서 그렇다고 답했다. 현씨 스스로도 학자에
대한 꿈이 있으며, 당시 직장을 다니고는 있었지만 본인은 연
구가 하고 싶다고 말했다. 과연 그는 학술적인 이야기가 대화
의 주제가 될 때마다 유독 눈을 빛냈다. 그가 자신의 연구 내용
과 통찰을 말할 때뿐 아니라 내가 나의 연구 내용과 최근 심리
학계의 흐름 등을 이야기할 때도 현씨는 열정적이었다.

"대화가 보통 어땠어요? 그러니까 대화를 하면 뭐냐 그, 서
로의 생각을 말했을 거잖아요."

수사관은 의자에 등을 기대고 팔짱을 낀 채 내게 더 자세한
이야기를 요구했다. 나는 눈을 잠시 감았다.

「그래서 학자님 관점은 어떤데요?」

현씨로부터 가장 많이 들었던 질문 중 하나였다. 현씨는 어
떤 주제로 이야기가 오가건 늘 나의 관점, 나의 의견, 나의 주
장, 나의 태도를 알고 싶어 했다. 현씨도 이를 알고 있었고, 웃
으며 해명한 적도 있었다. 연구자의 가장 중요한 덕목은 스스
로의 관점을 명확히 하는 것이며, 빈틈 없는 연구보다 비판의
여지가 있는 논문이 더 훌륭한 논문이라 생각한다고 말이다.
그리고 대화 상대가 그렇게 관점이 명확할 경우 대화가 즐거워

진다고도 했다. 맞는 말이라 생각했다. 현씨도 나도 연구를 좋아하고 그런 대화를 좋아했으며, 각자의 관점이 분명했으니 말이다.

「그래서 내 스테이트먼트는 이거에요.」

현씨가 자신의 관점을 드러내기 직전 종종 했던 말이었다. 그는 자신이 어떤 생각을 하는지, 어떤 말을 하는지, 무엇에 대해 말하는지 정확하게 이해하고 있었고, 자신의 "스테이트먼트"가 비판의 여지가 있을 수 있다는 것과 어떤 한계를 가지는지 언제나 인지하고 있었다. 그의 "스테이트먼트"는 허점이 있을지언정 명료했으며, 이는 대화의 바톤을 넘겨 받은 나의 비판 혹은 보완, 나아가 나의 스테이트먼트로 이어질 수 있었다. 그는 나의 비판에 대해 때로는 해명이나 반론을 제기하고, 때로는 자신의 주장의 한계점을 시인하며 통탄하곤 했다.

「아니요. 그렇게 보시면 안 되죠.」

그가 정신분석에 관한 지식이 그것을 전공한 나보다 부족하다 해서, 내가 현씨를 비판하기만 한 것은 아니었다. 현씨 역시 나의 관점에 대해 주저함 없이 비판했는데, 그것이 종종 날카롭게 정곡을 찌르기도 해서 놀란 적이 몇 번 있었다. 때때로 현씨는 일반적으로 통용될 만한 몇몇 관점에 대해서도 내가 미처 생각하지 못했던 문제를 지적하며 수정을 요구하곤 했다.

"아까 그, [현씨]가 무슨 분석을 해달라 그랬다고 그러지 않았어요?"

"아."

나는 말을 멈추고 잠시 조사실의 천장을 올려다 보았다. 다시 물을 한 모금 마시며 현씨의 어린 시절 이야기를 떠올렸다. 부모가 자신을 죽일까 봐 두려워했던 10대 초반의 현씨. 그는 우리가 오프라인에서 만나기 전 게임상에서 그 이야기를 처음 꺼냈다. 내가 추천해 준 프로이트의 입문서를 읽었는지, 현씨는 자신이 성장하면서 "검열"했던 것이라며 내게 그것을 털어놓았다. 이에 대해 그에게 몇 가지를 물어 보며 구체적으로 듣게 됐는데, 이야기를 나누면서 처음으로 분석할 만한 내용이 등장하여 흥미가 생겼던 나는 현씨를 — 시간을 좀 두고 — 분석해 봐도 되겠냐고 조심스럽게 물었다.

「좋아요!」

그는 외국 드라마나 영화에 종종 나오는 정신과의사와 환자의 세션 장면을 언급하며 그런 것을 꼭 해 보고 싶었다고 말했다. 그리고 위치도 가까우니 언제 한번 자신의 집에 놀러와서 본격적으로 이야기하자고도 했다. 농담 삼아 세션 비용에 대해 이야기하던 현씨와 나는 그렇게 일정을 맞추어 그의 집에서 처음으로 길게 대화를 나누었다.

현씨와 내가 본격적으로 해당 이야기를 시작했을 때, 그는 그 시절의 기억을 보다 자세히 설명하는 것뿐 아니라 그것을 스스로 분석했던 내용까지 풀어놓았다. 일전에 현씨는 자신이 프로이트의 무의식 이론에 깊게 동의한다 말했는데, 그가 들려준 스스로에 대한 분석 역시 철저하게 무의식에 무게를 둔 분석이었다. 그에 반해 나는 인간 심리에 관해서 아들러의 입장을 보다 선호했고, 현씨도 그것을 알고 있었기에 자신의 분석에 대한 나의 비판과 이론적 보완을 기대하는 눈치였다.

"잠깐 잠깐."

손을 뻗어 연신 좌우로 휘저으며 내 말을 멈춘 수사관은 그런 어려운 말은 본인이 못 알아들으니 그건 됐고 하나만 물어보겠다 했다.

"그래서 그 분석이라는 것에서도 극단적 선택을 암시할만한 내용은 전혀 없었다는 거죠?"

나는 고민하지 않고 강하게 고개를 끄덕였다. 수사관은 고개를 갸우뚱하며 숨을 스읍 하고 길게 들이 마셨다.

"근데 방금 말씀하신 그 어린 시절 얘기가 이 책에 들어 있는 것 같거든요."

나는 더 이상 참지 못하고 이 책을 가져가서 읽어 봐도 되는지 물었다. 수사관은 내게 책 자체를 줄 수는 없고, 현씨 가족에게 허락을 구한 뒤, 미리 만들어 놓은 사본을 제공하겠다 답했다. 그 역시도 내가 책을 읽어 봐야 한다고 여겼는지 그 자리에서 현씨의 부모에게 전화를 걸었다.

"예예. 그 친구요, 예. 지금 여기 와 계셔요. 얘기 해봤는데 그 저, 최근에 만난 건 맞는데 아드님 행방은 전혀 모르시네요. 예? 아, 예예. 많이 친하더라구요. 아니 근데 이 책에 있는 얘기를 이 분이 알고 있는 게 또 있거든요. 일단 이 분이 이걸 좀 읽어봐야 할 것 같은데요, 아버님. 아녜요 아녜요, 그런거는 아니구요. 예예. 아 예. 제가 이야기하겠습니다. 예? 하이 참, 아녜요. 예예, 시간 잡겠습니다. 예. 또 연락드릴게요!"

수사관은 통화를 끝내고 혀를 끌끌 차며 한숨을 크게 내쉬고는, 현씨 가족 분들이 나를 만나 봐야 할 것 같은데 괜찮냐고 물었다. 괜찮음의 문제가 아니었다. 통화 내용에 따르면 만남이 이미 확정된 상태였고, 이 책에 관해서는 그나마 내가 할 수 있는 이야기들이 있을 것이며 그들도 알 권리가 있었다. 내가 책을 읽고 분석을 해 봐야 가족 분들께도 충분한 설명이 가능할 것이니 최소 이틀을 달라고 했지만, 수사관은 만 하루만에 어떻게 안 되겠냐며 현씨 부모님의 상태를 언급했다. 나는 알겠다 답했다.

수사관의 명함과 책의 사본을 챙겨 밖으로 나왔다. 마침 점심시간이라 서에서도 사람들이 우르르 나오고 있었다. 머리가 아팠다. 집으로 가서 혼자 보라는 경찰의 권유가 있었지만, 내 자료가 다 연구실에 있었기에 택시를 잡아 병원으로 복귀했다.

나는 자리에 앉자마자 서랍에서 현씨와의 세션 내내 그의 말과 상태를 상세히 기록한 연구 노트를 꺼냈다.[39] 그리고 현씨와의 세션에서 내가 꺼낸 이론들에 대해 필사적으로 기억을 더듬어 그것의 근거가 되는 몇 편의 논문과 책을 찾았다. 내 소식을 들었는지 몇몇 직원 및 연구원이 걱정스러운 눈빛으로 내게 다가왔다. 나는 바쁘다며 그들을 내쫓다시피 내보냈다.

나는 꺼낸 자료들을 책상 한편에 쌓아 두고 현씨의 책 사본을 꺼냈다. 표지부터 천천히, 다시. 경찰서 조사실에서는 자세히 볼 수 없어서 안 보이던 글자가 보였다. 한자 제목 옆 작고 연한 글자로 적힌 독음.

"보편생애.."

하단에는 현씨의 필명이 적혀 있었다. 독음이 적혀 있지 않았지만 경찰은 현아명이라 하였다. 뜻이 있는가 하여 몇 번 검색해 본 적도 없는 한자사전을 겨우 뒤져서 각 글자들을 파악했다. 성을 제외한 현씨의 필명은 "나방의 울음[소리]"이라는 뜻인 듯했다. 성을 뜻에 포함한다면 "검은 나방의 울음[소리]"이 되는 것이었다.

---

39 내가 현씨와의 세션을 기록한 것은 직업병과 더불어 그가 내게 분석을 요청했고 나 또한 그를 연구하기 위함이었지, 그가 이상 증세를 보인다거나 한 것은 아니었다.

책의 뒷표지가 복사된 페이지를 서둘러 찾았다. 뒷표지에는 아무것도 적혀 있지 않는 대신 좌측 상단에 세로로 쓰인 서명이 있었다. 휴대폰에서 현씨가 선물했던 CD 앨범을 찍은 사진을 찾았다. 같은 서명이었다. 나는 잠시 동안 책 위의 그것을 뚫어져라 보다가 문득 환자를 검사할 때 그들이 그렸던 그림들을 떠올렸다. 한번도 현씨의 작업물에 대해 그렇게 다가가 본 적이 없었다. 내가 그의 서명을 바라보는 시선은 환자의 그림을 보는 시선과 다를 것이 없었다. 그 서명이 분석할만 한 대상이 아니었다는 사실과 별개로 밀려 오는 불쾌감을 뒤로 하고 나는 책 내지를 복사한 페이지를 펼쳤다. 어떤 문구와 함께 시작한 책의 목차는 또 온통 한자였다.

"보편생애, 소, 변, 고, 보편변증, 보편생애.. 해제."

사전에서 한자가 활용되는 어휘를 보니 "소訴"와 "변辨"과 "고顧"는 각각 호소, 변명, 회고의 의미인 듯했다. 정확한 의미는 본문을 읽고 판단해야 했다. 곧장 본문을 펼쳤다.

죽음이 임박했습니다.

나는 그렇게 점심도 거른 채 눈에 불을 켜고 읽기에 들어갔다. 부끄러움, 정상과 비정상, 피상적 정상, 의문의 인용구들, 영웅의 가면. "작품 없는 예술가의 자서전"은 실존하는 책이 아니었다. 내용으로 보나 문체로 보나 이것은 현씨가 직접 적은 것이 분명했다. 단지 현씨가 말한 "소설"적인 장치인지, 다른 이유가 있는지는 알 수 없었다. "작품 없는 예술가"가 현씨 본인을 지칭하는 것으로 보이지만, 그가 내게 보여 주고 들려 준 그의 '작품'들은 셀 수 없이 많았던 고로 의아했다.

첫번째 파트에 해당하는 「소訴」는 현씨의 말마따나 "고해"에 가까웠다. 이해할 수 없었다. 다분히 감정적이었다. 내가 알던 현씨의 모습은 전혀 없고 근거 없는 부정적인 말들만 가득했으며, 무엇보다 논리적이지 않았다. 현씨의 글 자체는 원인을 지목해서 현재 상태를 설명하려는 듯했지만 그것이 정확한 근거에 기반하지 않고 있었다. 무엇이 결핍되어 있는지, 무엇이 도태인지 알 수 없었다. 유일하게 이해의 여지가 있는 요소는 그가 언급한 "피상적 정상"이었지만 그렇다면 내가 알던 현씨의 모습은 지극히 피상적인 일부분이라는 뜻이 된다. 인정할 수 없었다. 이제껏 수많은 사람들의 겉과 속을 파악해 왔는데, 그 대상이 현씨라 하여 내가 몰랐을 리 없다. 그래서 나는 현씨가 이 책을 작성했던 심리적 원리와 시나리오에 대한 몇 가지 가능성을 떠올렸다. 요점은 글의 내용 자체가 아니라 이 글과 내가 알던 현씨 모습 사이의 괴리, 그리고 그것의 원인이었다. 나는 키워드를 몇 개 메모한 후 페이지를 넘겼다.[40]

---

40 현씨의 심리에 대한 병리적인 분석 내용은 구체적으로 언급하지 않기로 가족 분들과 합의했으므로 부연하지 않는다. 대신 해당 분석 내용은 나중에 현씨의 가족 분들께 나 개인의 견해일 수 있음을 환기한 후 자세히 설명했다.

「혹시 칸트 공부해 보신 적 있어요?」

「변辨」에 이르러 예술과 아름다움에 관한 그의 생각들을 읽으면서 나는 다시 현씨와의 세션을 떠올렸다. 나와 현씨의 관심사가 교차하는 지점에는 예술도 있었다. 그는 예술 이론에 해박했다. 심리학에 관해서 내가 현씨에게 지식 보따리를 풀어놓는 입장이었다면, 예술에서는 그 반대가 되곤 했다. 특히 음악에 관심이 많았던 나는 현씨가 직접 만들었다던 음악을 듣고, 취향이 맞아서 꽤나 마음에 들어 했다. 현씨는 자신의 음악을 듣는 청자에게 기대하는 효과 ─ 가령 칸트의 '숭고'를 포함하여 ─ 그리고 그런 효과를 내기 위해 자신의 음악이 어떤 구조와 원리로 작동하는지 등을 설명한 적도 있었다.

「그래서 저는 '예술가'를 포기했어요.」

현씨가 자신의 음악 제작기를 들려주면서 예술에 관한 그의 스탠스를 이야기한 적도 있었다. 흥미로웠던 부분은 그가 예술, 특히 음악을 "좋아하지 않는다"고 말한 ─ 그것도 아주 단호하고 명료하게 ─ 것이었다. 심지어 그는 음악이 증오의 대상이라고까지 말했다. 음반까지 발매하며 진심으로 음악을 하는 사람에게서는 기대하기 어려운 생소한 말이었다.

내가 그 말의 의미를 물었을 때 그는 현대 사회에서 '예술'의 의미 변질과 무분별한 예술 신격화를 언급했다. 예술이 그렇게 된 이상 그것이 받아들여야 할 현실이며 현씨 자신의 것은 그에 부응할 자격을 갖추지 못한다 했다. 동의하기 어려웠다. 비록 많은 사람들이 듣지는 않아도 그 정도 수준의 음악을 만들어 내면서 자신만의 예술관도 뚜렷한 그를 누구라도 '예술가'라 여길 것 같았다. 무엇보다도, 시야가 밝고 자신의 주관이 확실한 현씨가 어째서 그런 것에 타협하고 한 발자국 물러났는지가 의문이었다. 나는 사회적 자아를 지나치게 의식하는 것이 아닌지 반문했고, 현씨의 대답은 엉뚱했다.

「사실 관심받고 싶어서 시작한 음악인걸요.」

나는 사람을 사랑했습니다.

나는 주먹으로 책상을 내리쳤다. 당시 현씨는 멋쩍게 웃으며 그 말을 꺼냈고, 갑작스러운 솔직함에 나도 함께 웃었다. 그때는 몰랐다. 그가 말하는 "관심"이라는 것이 책에서 말하는 그런 의미일 줄은 조금도 알지 못했다. 물론 현씨가 관심받고 싶었다는 말만 한 것은 아니었다. 그 말은 '예술'과 '예술가'가 지극히 사회적인 개념이라는 그의 주장의 맥락에서 나온 것이었으며, 나는 이를 그저 우스갯소리라 여겼다.

이 책에 따르면 그가 예술을 부정했던 진짜 이유는 다른 곳에 있었다. 좋아서 하는 음악이 아닌 이유도 다른 곳에 있었다. 예술 훈련. 그는 단지 자신의 예술 자격을 논하는 것이 아니라 예술 자체를 부인하고 싶어 했다. 현씨는 예술을 두려워했고, 나아가 아름다움을 두려워했다.

「조립하고 나열하는 사람.」

또한 스스로가 예술가임을 부정했다. 이에 예술가가 아니면 무엇이냐 물었을 때 그는 위와 같이 답했다. 이로부터 나는 "작품 없는 예술가"가 무엇을 의미하는지 알아차렸다. 책에 언급하지 않았어도 그는 예술가의 기본 조건과 같은 '작품' 개념 또한 부정하려던 것이었다.

그리고 그는 예술 부정의 맥락에서 이어지는 네 번째 파트 "정치"에서 칸트를 결국 언급했다. 글이 어려워 제대로 이해하기는 어려웠지만 한 가지 내가 결론지을 수 있는 부분은, 확실히 현씨 자신의 지식에 기반하면서도 「小訴」에서와 같이 스스로에 대한 귀인오류로 가득차 있다는 것이었다. 그는 그가 주장하는 "해명"을 하는 것이 아니라 오히려 해명이나 변호가 요구되는 말을 하는 것처럼 보였다.

현씨도 이를 의식했는지 다섯 번째 파트 "기호"에서 어느 정도 스스로의 상태를 잘 설명하는 듯했다. 그러나 그것이 "자기 검열", 곧 다음 파트의 "죽음"으로 이어지는 부분에서 결국 나는 처음으로 종이를 내려놓아야 했다. 급하고 과한 비약이었다. 나는 한동안 멍하니 책상 위의 그 종이 꾸러미를 내려다 보았다. 하루만에 안 되겠냐는 수사관의 부탁이 떠올랐다.

다시 종이를 집어 들었다.

여섯 번째 파트 "죽음"은 결국 현씨의 순수한 주장에 가까운 글이 되어버렸다. 좋게 말하면 그의 통찰이었고, 나쁘게 말하면 그의 아집이었다. 환원과 소멸의 비교는 그가 죽음에 관해 내게 이야기했을 때 등장한 적이 있는 내용이었다. 대신 완전히 다른 이야기에서 출발했었다.

「마르크스주의, 비도시주의, 인류보완계획.」[41]

그의 취기가 꽤 올랐을 때 마침 나와 현씨 둘 다 안노 히데아키의 『신세기 에반게리온』을 좋아한다는 것을 서로 알게 되자, 그가 세 개념의 공통점을 찾아보라며 꺼낸 말이었다. 내가 비슷한 점을 전혀 짐작할 수 없었던 세 가지로부터 현씨가 짚어 낸 공통점이란, 겉으로 소멸을 이야기하는 것 같지만 실제로는 환원을 추구한다는 것이었다. 글로 풀어 설명하기 어려워 세션 당시 내가 그의 말을 정리해 메모한 것을 그대로 옮기면 다음과 같다.

---

41 비도시주의는 세션 당시 현씨가 가장 최근에 연구했다던 러시아 아방가르드의 건축 및 도시이론이다. 나는 전혀 알지 못하는 분야라 잘 이해는 못했지만 대강 우리에게 익숙한 고밀도의 중앙집중형 도시 대신에 전 국토가 완전 균질하게 발전해야 한다는 그런 이론으로 기억한다. 현재 글을 작성하면서 다시 조사해 봤지만 관련 국내 자료는 거의 없는 데다 내가 제대로 이해하기에는 너무 어려웠다.

국가의 소멸이 아닌 국가의 형태(및 계급) 소거와 기능 환원 및
소유 개념 폐기;
도시의 소멸이 아닌 도시의 형태(=집중) 소거와 기능 환원 및
교외 개념 폐기;
인류의 소멸이 아닌 인간의 형태(신체) 소거와 기능(영혼?) 환
원 및 AT필드 무력화. 그래서 말살이 아닌 보완인 것.

그는 인류보완계획이 이상적인 죽음에 대한 메타포라 설명
했다. 그리고 그것이 참신한 개념이 아니라 인류가 보편적으
로 죽음을 대하는 자세로서 오랜 세월 품어 왔던 사고방식을
오컬트적으로 재밌게 풀어낸 것이라 주장했다. 그가 그것을
"환원으로서의 죽음"이라 칭했고, 그것의 안티테제로 "소멸하
는 죽음"이 있다 말한 것이었다. 내가 소멸로서의 죽음이 무엇
인지 물었을 때, 그는 말없이 턱을 괴며 생각에 잠겼다.

「좀 사변적이지만..」

현씨는 길게 생각했다. 당시의 현씨가 그것의 개념은 알고
있었어도 이를 한 문장으로 표현한 적이 없는 모양이었다.[42]

「존재가 모호한 것의 죽음이지 않을까요?」

이상적이지 않은 죽음이 존재가 모호한 것의 죽음이라면

---

[42] 사실 죽음에 관한 이야기뿐 아니라 다른 주제로 이야기할 때도 종종 이런 식이었다.
그가 한번도 말과 글로 표현해 본 적이 없는 — 혹은 표현해 본 적이 없는 것으로 추측되
는 — 생각과 개념을 내게 말할 때 그는 생각에 잠겼다가 이내 그것을 표현해 내곤 했다.

반대로 이상적인 죽음은 존재가 뚜렷한 것의 죽음이란 뜻인가. 현씨는 그렇다고 답했다. 숱한 장례 및 제례 행위의 의미가 곧 죽은 자의 존재를 뚜렷하게 인식하기 위한 것, 혹은 이미 뚜렷하기 때문에 그 자체를 기리는 것이라는 주장. 현씨는 이에 덧붙여 '죽음'이라는 개념 자체가 존재의 뚜렷함을 함의하기 때문에 '소멸로서의 죽음'이라는 말은 애초부터 성립하지 않을지도 모르겠다 말했다. 환원과 소멸, 그리고 죽음에 관한 대화는 그 단계에서 끝났다.

문제는 그래서 현씨 자신이 "소멸의 운명"이 되는 근거가 모호하다는 점이었다. 스스로 "죽을 자격이 없다" 한 것은 이상적인 죽음의 자격을 논한 것이라 쳐도, 왜 현씨가 "스스로 존재"해야만 했는지, 왜 "형벌"을 받아야 했는지 알 수 없었다. "살아 있을 수도, 죽을 수도 없"다면서 왜 "역설적으로 죽어야만" 했는지. 소멸로서의 죽음이 성립하지 않는다면서 왜 "죽음으로써 소멸"해야 했는지. 단지 "지금의 내[현씨]가 괴롭다"는 사실만으로 죽음을 정당화할 수 있다고 여기는지. 앞뒤가 도통 맞지를 않았다.

현씨가 죽음에 대한 인식의 변화 과정을 나름대로 세 단계로 도식화했음에도 불구하고 그것은 "소멸"을 근거짓는 논리적인 설명이 아니라 "소멸"에 끼워 맞추기 위한 모종의 자기 암시에 가까워 보였다. 그렇다고 그가 각 단계의 설명을 거짓으로 지어냈다고 보기도 어려웠다. 글 자체는 분명 현씨 자신이 옳다고 여기는 생각을 적은 것으로 보였기 때문이다.

근거가 아예 없는 것은 아니었다. 현씨가 해당 도식화의 근거로 삼는 것은 "자기 특정성", 곧 현씨 자신이라는 말인데, 문제는 일반적인 상황에서 주장의 근거가 주장하는 사람 자신이 될 수 없다는 사실이었다. 논리적인 주장을 전개할 때 이러한 화법을 반드시 피해야 한다는 지극히 기본적인 원칙조차 간과하는 모습은, 근거에 대한 집념이 대단했고 특히 스스로에게는 훨씬 엄격한 기준을 적용했던 현씨의 성격 — 현씨가 세션에서 언급한 바에 따르면 "종교적인 형태의 self-discipline" — 과 전혀 어울리지 않았다. 심지어 현씨의 책은 "죽음을 해명하기 위함"이라 하지 않았던가. 사실상 해명의 가장 중요한 부분에서 현씨는 "형벌이라는 용어로 포장한 터무니없는 현실 도피라 일갈해도 달리 할 말이 없"으며, "이에 대해서는 사실 나[현씨]도 잘 모르기 때문"이라는 말로 대강 얼버무리고 있었다.

이렇게 되면 현씨의 죽음이 마치 필연일 수밖에 없다는 식의 전반적인 책 내용을 납득해 주기도 어려워지는 것이었다. 「보편생애」 제6장 "죽음"을 읽으면서 나는 처음으로 현씨에게 경미한 정신적 문제가 있었을 가능성을 의심했다.

이와 관련해서 떠오르는 것이 있어 "죽음" 파트를 끝내고 쌓아 놓은 책 중 한 권을 꺼냈다. 해당 항목을 찾기 위해 목차를 훑었다. 분명 떠오른 것은 있었는데 목차에서 마땅한 내용이 보이지 않았다. 다른 책을 꺼내어 훑어 봐도, 인쇄된 논문들과 파일로 가지고 있던 논문들의 목록을 훑어도 여전히 보이는 것이 없었다. 다시 생각해 보니 내가 떠올린 것조차 내가 뭐라 정의할 수가 없었다.

그때 불현듯 분노가 치밀어 올랐다. 로봇이라는 별명처럼 평상시에 감정적인 상태가 거의 되지 않는 나였다. 그래서 그런지 더욱 주체하기 어려웠다. 현씨가 이런 되지도 않는 글을 쓸 동안 그의 주변 사람들은 대체 무얼 했나. 그의 가족은, 그의 친구들은 무얼 했나. 그가 이 글을 쓸 동안 나는 대체 무얼 했나. 현씨 자신은 대체 무얼 했나. 현씨와 나를 포함하여 그 누구도 현씨의 "소멸" — 그것의 근거가 무엇이건 간에 — 을 막기 위한 노력을 하지 않은 이유가 무엇인가. 나는 지금 대체 무얼 하고 있는가. 전공 서적과 논문을 찾아서 대체 무얼 어쩌려는 셈인가. 갑작스런 강렬한 분노에 결국 눈물까지 흘렀다.

답답했다. 당장 현씨를 내 자리에 불러 내어 멱살 잡고 모든 것을 낱낱이 설명하라 소리치고 싶었다. 그렇게 똑똑하고 신념이 강한 사람이 어째서 그리 쉽게 스스로에게 무릎을 꿇었는지. 이것은 왜, 무슨 의미이며, 대체 누가 당신에게 그런 생각을 하게 했는지. 근거가 무엇인지. 대체 무슨 일이 있던 것인지. 원래 이렇게 나약하고 비약을 일삼는 사람이었는지. 왜 이겨 내지 못했는지. 비겁하게 글 뒤에 숨어서 왜 내게 말하지 않았는지. 그렇게 말이 많은 사람이 왜 지금 내게 한마디 말도 할 수 없는 것인지. 내가 왜 이 유난을 떨면서 당신의 글을 분석해야 하는지. 내가 지금 여기서 왜 이런 감정에 휘둘려야만 하는지. 내가 왜 눈물을 흘려야 하는 것인지.

심호흡을 했다. 그때 어깨에 누군가의 손이 올라온 것을 느끼고 화들짝 뒤를 돌아봤다. 냉철한 표정의 교수님. 그가 다가옴을 전혀 인지하지 못했으니 언제부터 내 뒤에 있었는지도 알 수 없었다. 눈물 범벅에 초췌해진 내 몰골에도 교수님은 별다른 반응 없이 연구실 문 방향을 턱으로 가리켰다. 수사관이었다. 내 휴대폰에는 부재중 전화가 여러 통 와 있었다.

"급하다고 하시는 걸 내가 기다리라 했어요. 꽤 기다리셨으니까 얼른 가 봐요."

교수님은 아무래도 내가 감정을 한번 추스를 때까지 기다린 모양이었다. 나는 아무 말도 하지 않고 벌떡 일어나 수사관에게 다가갔다. 그는 내 얼굴 상태에 꽤나 당황한 기색이었다.

"그, 뭔가를 찾았는데.."

일전의 무표정함은 사라진 그가 머뭇거리며 손에 든 서류봉투를 보여 주었다. 나는 그것을 휙 낚아 채고 싶은 마음을 애써 억누르고 차분하게 용건을 물었다.

"정말 죄송한데 그.. 이거는 꼭 이야기를 해 봐야 해서.."

그의 말이 너무도 느렸던 탓에 나는 그의 말이 끝나기 전에 따라오시라는 말과 함께 연구실 내의 공용 테이블로 안내했다. 나는 별것 아니니 신경쓰지 말고 용건을 말씀하시라 말했다. 그가 내 눈치를 보며 헛기침을 하더니 말을 꺼냈다.

"그 [현씨]가 선생님을 '학자님'이라 불렀다 그랬죠?"

내가 고개를 끄덕이자 그는 그날 오후 현씨의 사무실 직원들이 회사의 폐지함에서 발견한 것이라며 서류봉투에서 두 묶음의 복사용지 꾸러미를 꺼냈다. 현씨 유서 가출력본의 사본으로 보이는 해당 문서에는 현씨의 자필로 쓰인 붉은 메모들이 빼곡했고 군데 군데 낙서같은 작은 그림들이 보였다. 나는 자세히 보기 위해 고개를 들이밀었다. 수사관은 내 얼굴을 흘깃 한번 보더니 묶음 하나의 페이지를 넘겨 맨 뒷장을 내밀었다. 그것을 본 나는 눈을 크게 뜨고 입을 벌릴 수밖에 없었다. 장의 제목과 본문 한 줄이 적힌 페이지 전체를 휘감은 붉은 동그라미, 그리고 그 안에 정갈하게 쓰인 메모 때문이었다.

학자님께 요청.

단 한 줄. 내가 언급되었다. 요청이라니. 무엇을, 왜 내게 요청한다는 말인가. 일이 커졌다. 머리가 복잡해졌다. 수사관이 뭐라 말하려던 것을 무시하고 나는 자리로 가서 현씨의 책 사본을 넘겼다. 아직 읽지 않은 본문 맨 뒷부분의 모습은 메모를 제외하면 가출력에서의 페이지와 동일했다. 한자로 적힌 "보편생애: 해제"라는 제목과 한 줄의 본문.

죽음이 임박했습니다.

책만 보면 의도적으로 그 한 줄로 장을 마무리한 듯했다. 그런데 가출력에서 해당 장에 무언가 여지를 남기면서 나를 언급했다는 것은 책이 미완성일 가능성을 제시하는 것이었다. 이렇게 되면 이야기가 달라진다. 완성된 책이 아니었다니. 유서가 미완성이라니! 물론 그런 가능성이 현씨 수색에 유효한 단서를 제공하는 것은 아니었다. 여전히 이 책은 유서의 형태를 띠고 있고, 그가 종적을 감춘 뒤 이 정도의 시간이 지났는데도 수색에 진척이 없다면 큰 희망을 걸기 어렵다. 다만 이 책이 현씨에게 심리적으로 의미하는 바가 명백히 달라지는 것이었다.

"저기 그, 선생님."

수사관의 부름에 나는 책의 사본을 손에 꼭 쥔 채 다시 테이블로 돌아가 자리에 앉았다. 그가 입을 열려는 순간 내가 먼저 입을 열었다.

"시간이 필요합니다."

어안이 벙벙해 하는 수사관의 모습에도 나는 말을 멈추지 않았다. 그가 분명히 설명을 요구할 것이었다. 나 역시도 이것에 대한 설명이 필요했다. 당장은 불가능했다. 이를 설명하기 위해서는 현씨의 책을 마저 읽어야 하고 수사관이 건넨 가출력본을 책과 대조해 봐야 하며 메모들을 분석해야 했다. 내가 언급된 이상, 그리고 현씨의 가족 분들이 이를 봤다면 내가 확실히 파악하고 해명할 필요가 있었다. 내가 계속해서 말을 쏟아내자 수사관이 결국 끊고 소리쳤다.

"아니 그게 아니라, 말을 좀 들어 봐요, 이 사람아."

무엇이 아니란 말인가. 내가 눈을 치켜 뜨고 그를 마주했을 때 그는 팔짱을 긴 채 씁쓸한 표정으로 말을 이었다.

"괜찮으시냐구요, 선생님. 그거 물어 볼라 그랬지. 가족 분들이 이거 보여 주고 꼭 좀 확인해 달랍니다. 그 분들이 지금 선생님 걱정을 한다구요! 거 참, 괜찮기는 무슨.."

머리의 모든 생각이 일순 멈췄다. 의심이 아니라 걱정이라니. 멀리서 교수님이 천천히 고개를 끄덕이며 연구실을 나가는 모습이 시야에 들어왔다. 수사관의 말을 이해하기까지는 꽤 많은 시간을 소요해야 했다. 그와 눈을 마주치지 못한 채 나는 떨떠름하게 대답할 수밖에 없었다.

"괜찮..습니다."

그 말을 듣기 전까지 정말로 나는 괜찮다고 여겼다. 단지 퍼즐 조각이 조금 부족하여 답답했을 뿐이라 생각했다. 그러나 돌이켜보니 나는 현씨의 가족 분들 다음으로 실종 사건의 정신적인 복판에 있었다.

침을 삼켰다. 수사관의 말에 따르면 이 책을 본 가족들이 처음에 매우 큰 충격과 실의에 빠졌으며, 내게 책의 사본을 제공하기로 동의한 시점부터 그들이 나를 걱정해 왔다는 것이다.

「저희 부모님은 가끔 보면 과할 정도로 이타적이에요.」

이 상황에 누가 누구를 걱정하는 것인가 싶다가도, 내가 분노로 인해 눈물까지 흘렸던 모습이 정신적 압박감에 반응한 신경증과 다르지 않았음을 새삼 알아차렸다. 나는 즉시 머릿속에서 그 요인이 되는 것을 찾아 박멸했다. 적어도 그때는 안정을 되찾았다 생각했다.

"정말 괜찮아요. 이제 괜찮습니다."

수사관은 하루를 더해서 이틀을 주겠다 말을 바꿨다. 이미 서 내에서는 현씨의 실종 사건에 대한 수사를 종결하는 쪽으로 절차가 진행중이라는 사실도 말했다. 동원할 수 있는 수단은 전부 동원했고 수색 범위를 넓히기에는 자살을 암시하는 정황이 명백하여 멈추기로 했으며, 이제는 목격자의 신고에 의지할 수밖에 없다는 것이었다.

내게 현씨의 글을 제공하고 분석하도록 한 것도 신변 확보가 아니라 현씨 가족 분들을 위한 그의 독단적인 결정이었다는 이야기도 꺼냈다. 이미 수사팀이 해당 글에서 실종된 현씨를 찾을 수 있는 단서를 발견하지 못했으며, 나를 서에 부른 시점에서 이미 수사는 막바지 단계였다고 했다. 마지막으로 그는 그런 결정으로 인해 현씨의 가족뿐 아니라 수사관 본인도 내게 짐을 지운 것 같아 많이 미안한 마음이라고 털어놓았다. 그가 처음 내게 하루의 시간을 준 것도, 이제 와서 시간을 하루 더 준 것도, 아마도 현씨 가족 분들의 의사와는 상관없이 본인이 결정한 기한이었으리라는 합리적 추측이 가능했다.

"혹시나 뭐 나오면 바로 연락 주시구요. 모레 오후 즈음에 가족 분들 여기로 오시라 할 테니까, 오시면 잘 말씀.."

"그 분들 계신 곳으로 제가 가겠습니다."

수사관은 눈을 흘기더니 대수롭지 않은 듯 알겠다 답하고 떠났다. 방에서 나가는 그의 뒷모습을 나는 사라질 때까지 지켜 봤다. 그에게도 현씨와 내 또래 아들이 있는 것이겠지. 아마도 그 역시 현씨의 책을 읽고 여러 생각이 들었으리라 생각했다. 유서라 하기엔 너무나 적나라한, 현씨의 말마따나 "피상적 정상" 아래 "썩은 속살"이었을테니 말이다. 자살 정황이 명백한 성인 남성이라 한들, 명문대를 졸업하고 건실하게 살아 온 밝은 청년이 문득 사라졌다면 어느 누가 가벼이 여기겠는가.

마음의 진정도 했고, 하루 더 시간을 벌었다는 사실을 상기하니 새삼 배가 고팠다. 6시가 채 되지 않았는데도 밖은 이미 깜깜했다. 내가 그날 봐야 했던 환자들의 시간이 거의 끝나감을 인지했던 나는 대신 환자들을 봤을 연구원이 돌아오기 전에 서둘러 병원을 나왔다.

배가 고파 밥을 먹으면서도 나는 현씨의 글을 계속해서 떠올렸다. 밥 먹는 행위를 오롯이 내 몸에 맡긴 채, 머리로는 현씨의 글을 복기하고 내가 떠올린 이론들을 바탕으로 설명 가능한 몇몇 부분을 정리했다. 여기에 가출력본의 데이터가 추가될 것이었다. 그것이 새로운 해석의 단서를 제공할지, 지금까지의 가설을 뒤집을지는 확인해 봐야 알 수 있었다.

"선배, 이거 리포트까지 제가 써야 하는데 나중에 크게 쏘셔야 할 겁니다. 기존에 쓰셨던 것들도 다 참조해야 한다구요."

밥을 먹고 연구실에 복귀했을 때 우려했던 마주침이 결국 일어나고 말았다. 하는 수 없이 고마움을 표하고 자리로 돌아가 가출력본 두 개를 먼저 살피기로 했다. 현씨가 날짜와 번호를 적어 놓은 덕분에 두 가출력본이 어느 진행 단계에서 작성됐는지 금방 확인할 수 있었다.

두 가출력본을 전체적으로 비교한 결과 두 번째와 여섯 번째 가출력은 시기적으로만 차이가 큰 ― 약 한 달 차이가 났다

— 것이 아니라 글의 작성 방식과 진행도에서도 사뭇 달랐다.[43] 두 번째의 경우 "퇴고용" 문서라 하기에는 진행도가 책의 3할도 안 되어 보일 정도로 분량이 적었으며, 글 자체는 장의 구분 없이 큰 덩어리로 쓰여 있었다. 「보편변증」에 해당하는 글도 아예 없었고, 목차도 적혀 있지 않았다. 그에 비해 여섯 번째 가출력은 책의 사본과 거의 비슷한 수준의 진행도를 보였고 장의 구분도 책의 사본과 동일했다. 자세히 본 것은 아니지만 앞부분에 해당하는 「보편생애」는 책의 사본보다 분량이 조금 적고 세세한 퇴고 사항들이 메모로 적혀 있었지만, 「보편변증」에 해당하는 뒷부분은 이후 책의 사본에서 제목이 크게 바뀐 것을 제외하고 체크된 사항이 거의 없었다. 책의 사본에서 「보편변증」을 펼쳐 놓고 대강 비교해 보니 실제로도 수정된 사항 거의 없이 그대로 넘어온 듯 보였다.

「그리던 도면 뽑아서 체크하고 수정하고, 다시 뽑아서..」

현씨가 내게 건축 업무의 일상을 말해 준 것을 떠올렸다.[44] 단지 도면을 쭉 그리는 것이 아니라 뽑아서 의논하면서 그 위에 체크 사항들을 기록하고 스캔한 뒤 그것을 바탕으로 보완하는 것의 반복이라고 했다. "퇴고"라는 말이 무색한 수준의 진

---

43 책의 제목과 저자명이 달라졌다는 점이 가장 큰 부분이었지만 앞선 해제에서 설명한 바 있으므로 여기에는 적지 않는다.

44 내가 일하는 연구실에는 복사와 스캔이 가능한 복합기가 없다는 말에 현씨가 크게 놀라며 해 준 이야기였다. 현씨의 회사에서는 복사와 스캔이 일상이라고 했다.

행도를 고려할 때, 두 가출력본 사이의 시기적 간극은 큰 것이 아니라 오히려 상당히 짧은 것일지도 모른다 생각했다. 상시 퇴고라는 개념이 없는 것은 아니지만, 현씨는 퇴고를 했다기보다 짧은 시간 내에 해당 글의 체계를 갖추고 글의 분량도 채우기 위해 출력한 것에 가까웠다. 그에게 "퇴고"는 마치 건축 도면을 뽑아 체크하는 것과 같이 기획 단계의 일부였던 것이다.

마침 두 번째와 여섯 번째 가출력본의 차이는 그곳에 적힌 현씨의 메모들의 성격에서도 두드러졌다. 두 번째에서는 글의 방향, 여러 가지 내용적 후보와 목차의 구성 및 글의 전개 방식을 고민한 메모들이었고, 여섯 번째에서는 편집, 디자인 및 인쇄 방식에 관한 고민들이 주를 이루었다.

나는 이 메모들에 상당히 놀랄 수밖에 없었다. 다름이 아니라 그 메모들이 생각보다 굉장히 치밀하게 쓰여 있었기 때문이다. 내가 현씨의 글을 읽으며 머릿속으로 시뮬레이팅했던 현씨의 글 작성 시 모습, 심리와는 확연히 다른 성격의 메모들이었다. 다분히 감정적이라 생각했던 현씨의 글 ― 정확히는 글의 작성 동기 ― 은 사실 스스로의 엄격한 기획 및 기준에 의해 검토된 것이었다. 글은 일방향적으로 처음부터 끝까지 쓰인 것이 아니었으며, 건축 도면과 같이 큰 윤곽에서 시작하여 그 내부의 모습을 규율과 질서에 따라 계획하고 추가, 수정, 보완한 것에 가까웠다.

나를 더 놀라게 했던 것은 여섯 번째 가출력본에 등장하는 그의 인쇄 관련 메모들이었다. 실종에 보다 가까웠을 시기에 작성됐던 해당 메모들은 여전히 차갑고 이성적이었으며 지독할 정도로 치밀했다. 그는 글에 사용된 활자들, 가령 국문과 영문과 숫자와 한자에 대해 모두 다른 서체를 지정해 놓았고, 제목과 본문에 따라 달라지는 서체와 크기도 적어 놓았다. 글의 색상에 대해서는 CMYK 수치까지 적어 놓고 여러 번 값을 고친 흔적들이 남아 있었다.[45] 인쇄하는 종이 재질마다 달라지는 개략적인 책의 무게 및 두께까지 계산해 놓은 숫자들도 한가득이었다. 표지의 재질 후보들도 평량, 가격과 함께 적어 두었는데 직접 가서 만져 봐야 한다고 명시된 후보도 있었다.

"학자님께 요청" 텍스트와 함께 나의 시나리오를 뒤집었던 결정적인 메모는 인쇄 부수별 대략적인 권당 단가 계산 내역이었다. 현씨가 가출력본에 100부 인쇄, 120부 인쇄에 대한 인쇄 및 제본 단가의 차이를 비교해 놓고, 이와 더불어 공급률에 따른 수익 계산을 역산하여 책의 적정 가격을 책정하려던 흔적들이 있었다. 의미하는 바는 하나뿐이었다. 그는 출판하려 했다. 미완성된 유서에 이어 출판 계획이라니!

사실 꽤 긴 텍스트를 책으로 인쇄했다는 사실만으로도 그가 단순히 감정에 휘말려서 글 한 편 남기고 떠난 것이 아님은

---

45 이 책에서 붉게 인쇄된 글자들에 해당하는 값으로 보인다. CMYK가 무엇인지도 몰랐던 나는 검색해 보고 나서야 그것이 인쇄 색상과 관련된 값이라는 것을 알게 됐다.

분명했지만, 현씨가 책의 인쇄, 그리고 그 너머의 계획까지 세워 두었다가 실행하지 못하고 종적을 감춘 것은 실종 직전까지 그의 내면에서 여전히 갈등 중이었을 가능성을 암시하는 것이었다. 다시 말해 현씨가 자택에 남겨둔 책은 그가 스스로의 마지막을 상정하고 인쇄한 최종본이 아니라 검수를 위해 인쇄해 놓았던 것이거나 마지못해 계획을 중단하고 소량 인쇄로 갈무리한, 요컨대 '초도인쇄본'일 가능성이 매우 높았다. 작성되지 못한 책의 세 번째 파트 「보편생애: 해제」를 고려하면 후자에 좀더 가능성이 실리지만, 경찰의 말에 따라 현씨가 인쇄소에 4부를 발주했다는 사실과, 그 발주 날짜가 실종 추정 날짜와 그리 가깝지 않다는 점 — 열흘 차이가 났다 — 을 미루어 보면 전자 역시 충분히 가능한 시나리오였다.

이로부터 현씨가 내게 요청한다 적었던 메모의 의미도 윤곽이 잡혔다. 여섯 번째 가출력에 미완성의 여지를 남기고도 인쇄를 발주했으니 그가 자신의 파트를 거진 끝냈다고 여겼을 가능성이었다. 그의 책이 미완성이었다 해도 최소한 그가 적는 글에 대해서는 탈고가 가능했다는 것이다. 가능성이 상대적으로 높지 않은 시나리오가 하나 더 있는데, 현씨가 초도인쇄한 책 중 한 권을 내게 건네려 했을 수도 있다. 여섯 번째 가출력본상의 날짜에서 얼마 지나지 않아 — 나흘 차이가 났다 — 인쇄를 발주한 정황도 그렇고, 그가 자신의 것을 내게 건넬 때는 항상 완성된 결과물을 주고 싶어 했으니 말이다.

모든 것이 추측일 수밖에 없었지만 그래도 그 추측의 일부라도 사실이라 가정해야 다음의 질문으로 넘어갈 수 있었다. 현씨는 이 책을 통해 무엇을 말하려 했던 것인가. 초도인쇄본을 발주하고 나서 실종되기까지 열흘간 그는 과연 무엇을 했던 것인가. 그가 단지 검수를 위한 초도인쇄본을 발주하고 열흘 뒤 그것을 두고 사라진 것이라면, 그 열흘 사이에 어떤 생각의 결론에 다다랐던 것일까. 단지 현씨 개인 물품과 주변을 정리하는 데에 열흘이 꼬박 걸렸던 것일까. 그럴 것 같지는 않았다. 그가 내게 이 책을 건네고자 했다면, 그가 내게 요청하려 했던 것은 무엇이었을까. 나는 책을 마저 읽어 보리라는 결심으로 마음을 굳혔다.

"집 안 가세요?"

나 대신 업무를 진행한 후배가 가방을 싸고 있었다. 가출력본 비교만 했는데도 두 시간이 훌쩍 지나가 있었다. 여덟 시 반. 조금 지치긴 했지만 아직이었다. 나는 다시 한번 후배에게 고마움을 표한 뒤 혼자 연구실에 남아 책의 사본을 펼쳤다.

「저는 사람을 되게 좋아해요.」

현씨가 유독 긴 각주를 달았던 제3장 "예술"에서 7장을 언급했던 것을 떠올려 해당 페이지를 다시 펼쳤다.

그들은 아름다웠습니다.

7장에서 부연하겠다 현씨가 적은 것은 사람에 대한 미적 판단이 초래한 결과와 "사람이라는 형식"에 대한 "애착"을 무의식 분석으로 설명하는 것, 총 두 가지였다. 해당 페이지를 다시보고 이상하다 느낀 것은 페이지의 절반을 넘어가는 분량의 각주가 본문에 비해 꽤나 이성적이라는 사실이었다. 자신이 적어 놓은 글에 대해 의미를 명확히 하고 참조할 다른 부분을 지시하는 것. 아니나 다를까 여섯 번째 가출력본에서는 해당 위치에 각주가 아예 없었다. 아무래도 인쇄 전 마지막 퇴고 즈음에 추가된 듯했다.

'사랑'의 보편성 판단

3장의 긴 각주와 7장의 초반부는 자신을 객관적으로 규정하는 문제를 다루었다는 점에서 유사했지만, 그 판단 결과가 상반된다는 점에서 차이가 있었다. 현씨는 스스로의 미적 판단이 상식적인 수준, 곧 우리가 일상에서 무언가가 아름답다고 여길 때의 그것과 별반 다르지 않음을 애써 소명하기 위해 해당 각주를 급하게 적은 것 같았다.[46] 그에 반해 7장에서는 자신이 보편적 의미의 사랑을 규정할 수 없음을 주장하고 있었다.

---

46 그것이 '급하게' 작성된 것이라 추측한 것은 그가 해당 각주를 제외한 글의 흐름에서 자신이 '아름다움'에 매몰된 "비정상 개체"이며 그가 느끼는 아름다움이 일반 사람들과 다른 것처럼 말하고 있었기 때문이다. 그럼에도 마지막 퇴고 과정에 해당 각주가 쓰인 것이라면 자신이 정상 개체와 다르지 않을 수 있음을 뒤늦게 ― 소멸을 코 앞에 둔 시점에 와서야 ― 부랴부랴 주장하는 것으로밖에 볼 수 없는 것이었다.

이렇게 상반된 태도가 결과적으로 향하는 대상은 각각 "사람은 아름답다"와 "사람을 사랑한다"는, 원인과 결과처럼 따라다니던 두 문장이었다. 의아했던 점은 현씨가 이 두 명제에 대해서 각각 객관성 확보와 객관성 포기를 택했다는 사실이다. 두 명제는 그가 책에서 가장 자주 언급했던 말이기도 했다. 「보편생애」의 첫 번째 파트 「소訴」를 참고하면, 어쩌면 그를 죽음으로 몰고 갔을 가장 직접적인 요소일지도 몰랐다.

「사람에게서 행복을 얻고 사람에게 상처를 받아요.」

현씨와 나는 서로의 성격 차이를 두고 담소를 나눈 적이 있었다. 우리의 성격은 서로 반대 극단에 있었는데, 내가 차가운 로봇에 가까웠다면 현씨는 가만히 있지 못하는 강아지 — 현씨의 표현 — 에 가까웠다. 사람을 크게 신경쓰지 않는 나에 비해 현씨는 사람에게 상당히 의존적이라 했다. 실제로 처음 만났을 때 나는 예상 밖의 현씨의 성격에 놀랐다. 온라인상의 대화에서 현씨가 먼저 말을 걸어왔고 이런 저런 이야기를 꺼낸 것도 현씨가 먼저였지만, 적어도 나와 비슷한데 말이 조금 더 많은 사람이라 생각했었다. 실제로 만난 현씨는 말이 조금 더 많은 수준이 아니었을 뿐더러, 지치지 않는 것이 신기할 정도로 에너지를 뿜어 내는 사람이었다. 그도 스스로의 성격을 시인할 때 "연비가 안 좋다"는 말로 설명하곤 했다. 그는 늘 웃었다. 그것은 가짜가 아닌 진짜 웃음이었다.

이어서 7장을 쭉 읽었다. 7장의 구성은 제6장 "죽음"에서의 논지 전개 방식과 유사했다. "나[현씨]의 사랑"은 6장에서 주장했던 "자기 특정성"을 기본 원리로 삼고 소멸과 환원으로서의 죽음 개념을 도입하여 두 번에 걸쳐 도식화되어 있었다. 사랑과 두려움과 증오, 이를 죽음으로 부연하는 것. 7장의 내용을 토대로 시나리오를 추측하는 데에 어려움이 있었던 부분은 현씨가 설명한 현씨만의 사랑 방식을 어떤 범주로 이해해야 하는가였다. 가령 인간 보편 영역의 일부 ─ 정신의학이나 심리학에서 설명 가능한 영역을 포함하여 ─ 로 보아야 할지, 정말로 현씨의 방식이 독특한 돌연변이인지 등이었다. 어느 쪽이라 해도 나는 불쾌했을 것인데, 그도 그럴 것이 전자는 현씨가 정신적으로 문제가 있음을 의미했고 후자는 정신의학과 심리학이 설명하지 못하는 영역이 있음을 의미했기 때문이다. 학계에는 얼마든지 새로운 발견이 등장할 수 있지만 현씨가 그런 경우라고 하기엔 내 자존심이 용납할 수 없었다. 나는 어떻게든 그를 설명해 내고 싶었고 그렇기에 내가 그의 책을 구멍 뚫리도록 읽고 분석하려 드는 것이었다.

보편생애

현씨가 글의 제목에서 의도하고자 했던 것이 바로 그런 헷갈림일 수도 있겠다 싶었다. 내가 현씨의 책에서 느끼는 판단의 갈등은 되려 이 제목으로 인해 증폭되고 있었다. 그가 스스로를 보편적인 존재로 생각한 것 같지도 않고, 그렇다고 보편적이지 못한 스스로를 반어적으로 일컬어 그리 적었을 것 같지도 않았다. 현씨의 책에서는 스스로를 객관화하려는 시도와 상식의 범주에 속하지 않음을 증명하려는 시도가 동시에 일어나고 있었다. 어떤 부분은 상담과 치료 과정에서 털어 놓는 자신의 힘든 이야기처럼 보이지만 또 어떤 부분에서는 철저하게 체계를 구축해서 스스로를 분석하고 있었다.

현씨를 알면 알수록 연구해 보고 싶다는 생각이 들었던 것도 사실 그가 내 머리로는 쉽게 유형화되지 않는 사람이기 때문이었다. 내가 현씨를 관찰한 데이터는 인간에 대해 기존에 보유하고 있던 내 데이터만으로 완벽히 해석할 수 없었다. 공부를 많이 한 사람, 똑똑한 사람, 말을 잘하는 사람은 세상에 많았지만 그 많은 지식과 훌륭한 말주변을 가지고 어떤 생각을 하고 어떤 말을 하는지는 완전히 다른 문제였다. 그래서 나는 현씨를 분석한다면 내 데이터가 한층 풍부해질 것이라 생각했다. 혹 그가 2장에서 말한 대로 나 역시 그를 "특이한 사람"으로 여겼을지도 모른다.

「정말로 뜨거운 물인데 오히려 고요해요.」

그가 내게 예술을 설명할 적에는 종종 원자력 발전의 비유를 들곤 했다. 자신의 음악, 자신의 절제된 창법에 대해서 현씨는 원자력 발전 원리를 설명하면서 100℃를 훌쩍 넘겨도 끓지

170

않는 고압 상태의 냉각수에 비유했었다. 요란하게 끓는 100℃의 물보다 뜨겁고 고요한 것은 그의 노래의 아련함이었다.

기호의 원자로

원자력 발전 관련 표현은 그의 책에서 어김없이 사용됐다. 이미 앞선 장에서 현씨는 "원자로", "냉각할 판단력", "멜트다운" 등을 언급했고, 7장에서 "감속재"에 이어 붉은 글씨로 언급한 의문의 알파벳과 숫자는 체르노빌 원자력 발전소 폭발 사고와 관련된 어떤 버튼이었다.[47] 무슨 버튼이었는지 알고 나서 나는 탄식할 수밖에 없었다. 그것이 현씨가 말한 본인의 사랑의 전화 양태 마지막 단계에 돌입하는 시퀀스에 딱 맞아 떨어지는 비유였기 때문이다. 비상 사태에 대비하는 매뉴얼에서도 최후의 수단이었던 버튼. 그런 버튼이 역으로 발전소 폭발로 직결됐던 역설적인 상황은 현씨가 설명한 세 번째 단계로의 사랑의 전화 과정 속 그가 어떻게든 사태를 수습하기 위해 몸부림친 끝에 결국 절망으로 치달았다는 서사와 동일했다.

현씨의 사랑의 대상과 그 대상의 아름다움이 다다랐다는 '숭고'는 독일어가 병기된 것으로 보아 현씨가 일전에 언급한 칸트의 '숭고'과 같은 의미인 듯했다. 현씨가 세션에서 '숭고'

---

[47] 검색해 보니 이는 러시아어 단어였고, 두 번째 글자는 숫자 '3'이 아니라 'Z'에 해당하는 키릴 문자였다. 따라서 영어에서는 주로 'AZ-5'라 적는다. 체르노빌 사고에서 이 버튼을 누른 직후 노심이 폭발한 것으로 알려져 있다.

를 언급했던 맥락을 떠올리며 3장을 다시 읽었는데,[48] 현씨의
예술에 대한 단상에는 죽음으로 설명한 사랑의 전화 양태와 비
슷한 술어들이 사용되고 있었다.

애끊은 예술을 시기하고 증오했습니다.

미적 판단의 "멜트다운"이 AZ-5로 함축된 현씨의 사랑의
세 번째 단계에 대응한다면, "예술을 시기하고 증오"하고 "예
술을 빼앗"기는 것은 7장 ─ "사람을 시기하고 증오"하고 결국
"대상과 대상의 아름다움" 및 "나[현씨]의 존재"가 모두 무너지
는 ─ 의 텍스트와 동일한 술어로 이해할 수 있었다. 3장의 각
주에서 미적 판단이 초래한 결과를 7장에서 부연하겠다 했던
것이 이런 연결고리를 의미하는 것인가 했다. 그런 "멜트다운"
이 결국 "아름다움을 향유할 자격이 없"는 "실패"로 귀결됐던
것도 7장의 AZ-5와 궤가 같았기 때문이다.

"그 자체로 파쇼"였던 예술과 아름다움을 두려워했다는 3
장의 내용도 현씨가 7장에서 "두려움"으로 약속한 사랑의 두
번째 전화 단계와 같은 술어로 봐도 무방하다 싶었다. 현씨가
예술을 사랑했다는 언급은 일절 없었지만, 그가 지금껏 만들
어 온 음악들, 그가 예술에 대해 깊게 고민하고 내게 설파했던

---

48 현씨가 특히 제3장 "예술"과 제4장 "정치"에 어려운 말을 잔뜩 써 놓은 바람에 나는
책을 읽는 내내 이 두 장으로 수도 없이 돌아가 다시 읽고 또 읽었다.

내용들을 떠올린다면, 분명 그 역시 예술 — 특히 음악 — 을 사랑했기에 "예술 훈련"이라는 것을 시작한 것이 아닐까 하는 일반론적 추측이 가능했다.

제3장 "예술"과 제7장 "사랑"을 이와 같이 연관시키기 위해 나는 추가로 '예술'과 '아름다움'과 '사람'의 관계를 다시 정의해야 했다. 이 세 항목은 현씨가 두려워하는 독립적인 대상이 아니었다. 7장을 참조한다면 '예술'과 '아름다움'과 '사람'이 3장의 서술 방식처럼 병치되는 개별 항목이 아니었다는 것이다.[49] 현씨에게 예술과 사람이 만나는 접점은 '아름다움'이었을 것이다. 예술 자체, 사람 자체는 직접적으로 현씨가 두려워하는 대상이 아니었으며, 그가 '예술'과 '사람'을 두려워했던 진짜 이유는 그것이 현씨에게 제공했던 '아름다움'이었다는 것이 내 설명이다. 예술을 두려워했던 것도 엄밀하게 본다면 예술에서 비롯된 아름다움에 대한 두려움이었고, 사람에 대한 두려움도 그와 동일했다. 종합하면 현씨는 예술에 대해서, 나아가 예술과 사람의 '아름다움'을 사랑했고 두려워했으며 종국에 시기하고 증오했다. 이를 죽음, 곧 "환원"과 "소멸"로 치환하는 것 또한 가능했다.

'예술'과 '사람'이 위와 같이 '아름다움'을 유발하는 촉매제라 한다면 여기서의 '아름다움'은 촉매제 종류와 상관없이, 즉

---

49 나의 매핑이 옳다면 현씨는 3장에서 글을 제대로 쓰지 못한 것이다.

대상과 무관하게 보편자로서의 '아름다움'이 성립한다.[50] 현씨가 3장에서 장황하게 적었던 각주를 통해 "사람은 아름답다"는 취미판단을 객관적으로 규정하려던 시도 또한 이로써 구조적 근거가 마련되는 것이었다.

여기에 4장의 "정치"와 "삶 일반"을 도입하면 그것은 현씨가 '예술'과 '사람'을 향한 일련의 사랑에 대해 스스로 설정한 안티테제라 설명할 수 있었다. 이 부분에서 내가 해결해야 했던 문제는 4장에서의 정립과 반정립으로 기술된 대상이 조금 다르다는 점이었다. 현씨의 서술에서 "삶 일반"은 '사람'이 아니라 "나[현씨]"의 안티테제로 설정되어 있고 "나[현씨]"는 "정치를 사랑한 예술"과 동일시된다. 언뜻 봐도 "삶 일반"과 '사람'은 동일해 보였다. 그러나 그것은 언제까지나 "정치의 미학화"로써 현씨 자신을 설명하기 위한 비유에 지나지 않는다는 것이 나의 결론이었다.[51] 오히려 '예술'과 '사람'을 통한 '아름다

---

50 보편자로서의 아름다움이 칸트가 말한 무관심성 개념으로 설명 가능한지는 나도 잘 알지 못한다. 마음 같아서는 현씨 이상으로 칸트를 공부해서 모조리 이해하고 틀린 부분을 지적하고 싶었지만 만 이틀만에 그 무시무시한 칸트를 읽는 것은 택도 없었다.

51 내 관점에서 본다면 "삶 일반"과 '사람' 개념 자체의 본질적인 차이점도 존재한다. "삶 일반"은 "정치"의 필요조건으로서 어떠한 판단도 거치지 않은 있는 그대로의 사람으로, 관념적 영역에 머무르는 보편자 ― 칸트의 용어 '물자체'가 이를 어느 정도 설명할 수 있는 듯하다 ― 에 지나지 않는다. 현씨가 주장한 자신의 대상 인지 및 판단 방식을 고려하면 현씨가 "삶 일반"을 삶 일반 그대로의 모습으로 인식하는 것은 불가능하다. 반면 '사람'은 적극적으로 현씨의 의식에 개입하는 인지 가능한 개별자들 ― 칸트의 용어 '현상'이 이를 어느 정도 설명할 수 있는 듯하다 ― 이다. 그래서 '사람'은 "삶 일반"과 다르게 현씨의 판단 영역에 포함되며 그의 내면에서 아름다움을 창출할 권한을 지닌다. 단 '사람'이 현씨의 판단 대상이 될 때 뒤이어 언급할 "기호"의 형태로 작동한다.

움'에 대한 세 가지 "사랑의 전화 양태"에는 서로 어떠한 비유 관계도 없어 보였다. 3장에서 "예술 훈련"을 논하다가 마치 그와 같이 "사람을 사랑했"다는 현씨의 고백을 본다면 오히려 4장보다 3장이 비유적인 표현으로 보이지만 아무리 생각을 해봐도 4장의 결론은 글 전체에서 부수적이고 감정적인 자기비판인 반면 3장과 7장의 협응은 나름대로 현씨 생각의 뼈대를 구축하는 것이었다. 나의 억지 분석인지 현씨가 글을 못쓴 것인지 알 수 없었으나 핵심은 결국 '아름다움'이 어떻게 현씨를 "소멸"로 내몰았는지가 된다는 결론이었다.

그런 점에서 제5장 "기호"는 해당 구조화에 추가적인 정보와 근거 사례를 제공하는 글이었다. 5장에서 '예술'과 '사람'이라는 개별자는 "존재"라는 보편자에 귀속되고, 그것을 매개로 발생하는 '아름다움'은 "기호"의 "의미 작용"으로 설명되어 있었다. 곧 현씨에게 인지 가능한 "존재"가 존재하는 영역은 그 자체로서 현씨의 외부가 아니라 현씨의 인지 체계 내부에 형성된 어떤 '기호의 지평'[52]에 국한된 것이었다.

따라서 내가 이해한 바에 따른다면 제4장 "정치"에서 제5장 "기호"를 거쳐 제6장 "죽음"으로 이어지는 다소 어색해 보이는 전개에 대해서도 설명이 가능했다. 3~7장의 구조를 파악한 결과 제3장 "예술"과 제7장 "사랑"이 현씨 변론 — 혹은 변

---

52 '기호의 지평'은 내가 임의로 설정한 표현이다.

명 — 의 중추를 기술하고 있으며 4장은 3장의 파생글, 5장은 주된 변론에 대한 보조글, 6장은 7장에 직접적으로 선행되는 이론적 배경의 역할을 하고 있었다. 곧 4~6장이 목차상으로는 이어져 있을지 몰라도 전체 글 흐름상 실질적인 역할은 거의 독립적이라는 뜻이었다.

「졸필이라 읽을만 한 글이 못 돼요.」

암, 그렇고 말고. 나는 긴 한숨을 쉬었다. 이제 한 챕터 추가로 읽었을 뿐인데 앞선 장들을 다시 읽고 위의 매핑을 완성하느라 제7장 "사랑"을 끝내는 데에는 상당히 오랜 시간이 걸렸다. 비로소 나름의 체계가 잡히긴 했지만 다른 한편으로 "누구도 탓할 수 없는 현실", 그리고 "제대로 이해하게끔 설명할 자신도 없었"다는 현씨의 하소연을 조금은 납득할 수 있었다. 오래 알고 지낸 사이는 아니어도 그와 많은 이야기를 나누었던 내가 몇 번을 읽고 생각하고 분석해도 제대로 이해했는지 확신할 수 없을 정도니 말이다.

되려 내가 그와 친하게 지내고 이야기를 많이 나눴던 것이 문제일 수 있겠다는 생각도 문득 들었다. 현씨와 일면식 없는 사람이 현씨에게 그런 설명을 직접 듣는다면 오히려 내용 자체의 이해는 상대적으로 수월했을지도 모른다. 현씨가 말한 "이해"를 조금 다른 관점에서 본다면 그것은 문자 그대로의 '이해'라기보다 '받아들임'이라 봐야 하지 않을까 싶었다. 특히나 그를 가장 오래 알고 지냈을 현씨 가족 분들이 이 글을 얼마나 받아들였을까 생각해 본다면 사실 큰 기대를 할 수 없었기 때문이다. 사전에 관계 혹은 접점이 있는 지인에 대해서는 심리 치료를 진행할 수 없다는 우리 업계의 원칙이 이를 뒷받침하는지도 모르겠다. 그렇다 한들 상식적으로 현씨에게는 방법이 없었을 텐데, 그가 이런 이야기를 꺼낼 수 있는 사람이라면 그와 여간 친한 사이는 아닐 것이고 현씨와 많이 친하다는 것은 결국 그에 대한 선입견이 단단하게 자리잡았을 것이라는, 어쩔 도리 없는 진퇴양난이 뻔했기 때문이다.

나 자신에 대해서도 마찬가지였다. 나는 현아명을 기꺼이 읽겠지만 기꺼이 받아들일 수 있는지는 확신이 서지 않았다. 내가 현씨의 책을 기꺼이 읽고 있던 것도 표면적으로는 현씨의 결심을 납득하기 위함이었지만 실상은 열린 마음으로 현씨의 생각을 받아들이기 위함이 아니라 낱낱이 쪼개어 놓고 어떻게든 꼬투리 잡아 현씨를 질타하기 위함일지도 몰랐다. 다시 말해 현씨의 죽음을 부정하기 위해 그의 생각의 허점을 찾아내어 반박하기 위해 역설적으로 현씨의 책을 정독했을 수도 있다는 생각에 이른 것이었다.

"그럴 리 없어."

새벽 한 시 반. 작게 중얼거린 나는 고개를 휘휘 털고 제8장 "역마"를 펼쳤다. 유독 길었던 8장은 오히려 7장보다 읽기가 수월했는데, 수사관이 내게 말했던 "그 어린 시절 얘기"가 들어있는 부분이 바로 8장이었기 때문이다. 현씨가 적은 무의식 분석은 세션에서 내게 언급한 것과 거의 동일했다. 내가 세션 당시 필기했던 메모와 거의 차이가 없었고, 대신 이야기를 다 듣고 내가 건넨 보완 사항들이 반영이 되어 있었다.

현씨가 스스로를 분석한 부분을 내게 말해 주며 틀린 것을 고쳐 달라 말했지만 사실 틀린 부분이라 할 것이 없었다. 아니, 틀리다 말하는 것부터 구조적으로 불가능했다. 스스로에 대한 일련의 심리학적 분석이나 이해는 당사자가 가장 잘 할 수 있으며, 당사자가 스스로를 편견 없이 직시, 이해하고 그것을 자신의 입으로 설명해 낼 수 있도록 돕는 것이 이상적이기 때문이다. 설사 그런 해석이 현씨의 주장대로 프로이트적 관점에 국한되어 있다 해도 중요한 것은 그가 이를 받아들일 준비가 얼마나 되어 있는가였기에, 그런 해석을 시도하고 정리해서 설명하는 것에서 이미 충분한 성과를 이루었다고 보았다. 내가 제시한 보완 사항들도 해석 자체의 완성도보다는 현씨가 말로 길게 풀어 설명했던 부분들을 적절한 용어를 도입해 해석의 경제성을 확보하는 것에 가까웠다.

존재가 흔들리는 것입니다.

사실 8장에서 내가 눈여겨 읽었던 부분은 장의 대부분을 차지하는 현씨 어린 시절의 기억 해석이 아니라 초반부에 그가 언급한 "공장"과 "그럴듯함"이었다. 그럴 수밖에 없던 것은 먼 과거의 어린 시절이 아닌 가장 최근의 현씨의 모습을 묘사하는 부분이었고, 그것이 내가 생각했던 현씨의 태도와 사뭇 달랐기 때문이다.

"존재의 확인으로써 죽음을 유예"한다는 것은 말만 두고 보면 현씨의 처절함이 묻어 있는 것 같지만 표현이 강해서 그렇지 사실 꽤나 일반적인 원리를 잘 설명하고 있었다. 비단 현씨처럼 근사하게 이것저것 만들어 내는 수준까지 가지 않아도 해당 문장은 인간이 삶을 영위하는 기본적 방식들 중 하나라 봐도 무방했다. 문제는 그것이 "정신적 대가"를 요구한다는 현씨의 주장이었다.

「감정을 극단으로 몰아붙여야 뭔가가 나와요.」

극단極端. 세션에서 현씨는 "정신적 대가"를 "극단"으로 표현했다. 특히 음악을 만들 때 자신이 처한 감정을 스스로 증폭시킨다 했었다. 현씨가 예술과 음악을 좋아하지 않는다고 말했던 이유가 사실 감정적 극단에서 비롯되는 정신적 피로감일지도 몰랐다. 그 역시 그런 피로감을 시인했다. 특히 현씨가 말했던 구체적인 음악 제작 방식은 육체적으로도 매우 파괴적인 수준이었는데, 그가 곡을 하나 쓴다고 하면 보통 48~72시간을 쉬지 않고 작업했다는 것이다. 물론 이 역시 대학원에 진학한 이후에는 체력적인 문제와 앨범 단위의 작업이 들어가면서 띄엄 띄엄 했다고는 하지만 20대 중반 이전까지는 한 곡을 쓸 때 곡의 중심이 되는 감정을 붙잡고 최대한으로 증폭시킨 상태를 유지한 채 하루, 이틀, 사흘간 곡을 쓰고 어레인지하고 가사를 쓰고 녹음하고 믹싱과 마스터링까지 단 한 번의 작업에 곡을 끝냈다고 했다. 내가 수면과 식사에 관해 묻자 기본적으로 수면은 일절 거르고 식사도 아예 못하거나 소화가 잘 되는 간단한 간식 한두 번 먹는 것이 전부라 답했다. 세션 당시 현씨는 오해하지 말라면서 그런 방식의 곡 작업은 한 달에 한 번 내외였으며 단지 곡에 담기는 자신의 감정을 놓치고 싶지 않아서 그랬던 것이라 회고했다.

「그렇게 한 곡을 완성하고 나면 세상이 달리 보였어요.」

대신 어마어마한 정신적 피로에 적어도 일주일은 정상적인 일상생활이 무너진다고 했다. 예술 훈련. 현씨가 책에서 언급한 "예술 훈련"은 다름 아닌 그런 고강도의 정신적 실험임에 틀림없었다. 현씨의 음악 작업 방식 설명에 과장이 없을 경우 한편으로 대단하다는 생각이 들면서도 ― 그 결과물인 현씨의 곡을 직접 들었을 때도 마찬가지로 ― 다른 한편으로는 그런 식의 작업이 반복될 경우 조금 위험할 수도 있겠다는 생각이 들었다. 현씨의 설명을 들은 내가 정신적 피로감이 단지 피로한 것이 아니라 어느 정도 정신적 손상을 일으키지는 않았는지 우려 섞인 목소리로 물었을 때 그는 조금의 고민도 없이 눈을 똑바로 뜨고 간단하게 대답했다.

「감수했죠. 황홀경이었으니까.」

그러면서 그는 그랬던 것을 후회한다고도 말했다. 당시에는 황홀경이라고만 여겼던 것이 이후에 점차 자신을 갉아먹고 있다는 사실을 눈치챘을 즈음엔 이미 그런 작업을 멈출 수 없는 단계에 다다랐다고 했다. 내가 세션 당시 아쉬우면서도 다행이라 여겼던 부분은 그가 대학원 졸업 후 취직하고 나서 2년 가까이 음악 작업을 하지 않았다고 했던 것이었다.

'그럴듯함'의 생산 중독

「대신 지금은 글을 쓰죠.」

그 말을 떠올린 나는 눈을 질끈 감아야 했다. 시기를 따져보면 내가 읽고 있던 현씨의 글이 바로 그 글이었기 때문이다. 현씨는 당시에 글을 쓰는 것에 재미가 들렸다며 내게 가볍게 말했고, 음악 작업과 비슷한 것 같으면서도 정적이고 정제된 글쓰기 작업의 특성상 틈틈이 시간 내어 건강하게 즐기고 있다고도 덧붙였다.

"거짓말."

이제 와서 현씨는 그런 일련의 '작업'들이 "죽음을 유예"하기 위한 "그럴듯함"의 "생산"이라 고백하고 있었다. 그것이 요구한다는 "정신적 대가"가 현씨의 과거 음악 작업 방식에서 내가 우려했던 정신적 손상과 같다면 현씨는 이 책을 쓰는 내내 동일한 정신적 손상을 겪었다고밖에 할 수 없었다. 다시 말해 이 책이 유서건 아니건 그 내용과 상관없이 절대로 현씨가 건강하게 즐기는 취미로서 적은 글은 아니었다는 뜻이 된다.

출판해야만 했으며

끝내 현씨는 이 책을 출판하지 못했다. 그가 책을 출판했다면, 내게 무엇을 요청하던지 간에 원고를 완성하고 실제로 유통까지 했다면 ― 그가 음원을 발매하고 서체를 발매했던 것처럼 ― 과연 그의 말대로 죽음을 유예할 수 있었을까.

그러면 안 되는 것이었습니다.

현씨는 8장의 끝에서도 결국 자조적인 말을 토해 냈다. 그가 내게 어린 시절의 이야기를 털어놓았을 때만 해도 그가 거리낌없이 말하는 모습에 마음놓고 세션을 진행했었다. 대수롭지 않게 부모와 자신을 분석했던 그가 실제로는 이런 생각을 했었다는 사실이 안타까웠다. 혹은 그가 "임박한 죽음" 앞에서 지난 모든 것을 죽음의 원인으로 돌리기 위해 더 이상은 의미 없을 정신적 손상마저 ─ 이미 손상될 대로 손상되어 있었겠지만 ─ 감수한 채 작은 감정까지 "극단으로 몰아붙"였을지도 모르는 것이었다.

"미련하긴."

나는 제9장 "장소"와 제10장 "축도"를 연달아 읽으면서 어떤 분석도, 메모도 하지 못했다. 그리고 「보편변증」 첫 페이지에 적힌 서문을 읽었을 때 결국 지친 나머지 종이를 내려놓아야만 했다.

새벽 세 시를 훌쩍 넘긴 상태였다. 머리가 얼얼했다. 나는 한동안 연구실 허공을 응시했다. 힘들었다. 나는 현씨의 책과 가출력 사본을 가방에 넣으려다 다시 책상에 올려놓았다. 천천히 짐을 싸면서, 돌아오는 일과 시간에는 내 원래 업무를 모두 수행하리라 마음먹었다. 택시를 부르며 연구실의 불을 끄고 나와 문을 잠갔다. 오늘은 이 정도 했으면 된 것이라 여겼다.

그날도 마찬가지였다.

「오늘도 즐거웠어요.」

현씨가 실종되기 전 나와 한 번 더 만났다면 그가 내게 책을 보여 주었을까. 그랬다면 내가 그의 죽음을 유예할 수 있었을까. 내가 들은 마지막 현씨의 육성이 머리에 맴돌았다. 내 마지막 기억 속에서 그는 여전히 웃고 있었다.

＊

"네? 오늘 것까지 해야 하는 거 아니었어요?"

수사관이 교수님에게 어떻게 말했는지 몰라도, 전날 나 대신 검사 업무를 진행한 후배 연구원은 이틀 연달아 나 대신 업무를 진행해 달라고 전달받은 듯했다. 아무튼 내가 해야 할 일은 내가 하겠다고 말했을 때 후배는 남자친구와의 약속도 취소했다며 하소연했고, 나는 무표정한 얼굴로 잠자코 들어 주었다. 후배는 무엇이 그리 억울했는지 더 말하려는 듯하다가 내가 들고 있는 헌씨의 책 사본과 내 얼굴을 번갈아 보더니 이내 표정을 누그러뜨렸다.

"어제 몇 시까지 계셨어요?"

금방 갔다고 말하자 후배는 한숨을 한 번 쉬더니 내가 그날의 업무를 수행하는 것이 정말 괜찮겠는지 다시 물었다. 나는 고개를 끄덕이면서 그래 봤자 검사 두 건이라 괜찮으며 전날에는 고마웠고 맛있는 것 꼭 사주겠다고 말했다.

"검사 두 번 하고 보고서 쓰면 일과 시간 끝나잖아요."

그래도 평소보다는 건수가 적은 편이었다.[53] 검사 이외에도 마침 회진 순번이 돌아오긴 했지만 오래 걸리는 일도 아니었으니 문제될 것 없었다. 그녀는 내 옆에서 머뭇거리다가 눈치를 보며 내게 분석은 잘 되어 가는지 물었다. 좀 시끄럽긴 해도 호기심 많고 일이 생기면 나서서 돕는 똘똘한 후배 녀석은 툭하면 연구실을 쏘다니며 사람들이 공부하거나 작성하고 있는 것들에 대해 묻곤 했는데, 내가 읽고 있는 현씨의 책 내용도 궁금한 모양이었다.

"연구실 세미나 때 기회 되면 이야기해 볼게. 빨리 가."

그제서야 후배는 만족한 표정으로 돌아서서 짐을 챙겨 연구실을 나갔다. 왠일로 더 자세히 묻지 않는 건가 싶다가도 교수님이 대강의 사정을 설명했을 것을 떠올리니 — 교수님은 아마 나를 건드리지도 말라 했을 가능성이 높았다 — 그럴만 했다는 결론이었다.

---

[53] 검사 한 번에 두 세 시간을 참여 혹은 참관해야 하고 보통 하루에 네댓 건을 진행하니 의료진 측에 넘길 보고서 작성까지 포함하면 야근은 어쩔 수 없는 일상이었다.

첫 업무가 오전 열 시였고 내게는 한 시간 남짓 시간이 남아 있었다. 선택지는 여럿이 있었는데, 어제 분석한 내용을 복기하며 정리하거나, 아직 제대로 읽지 않은 「보편변증」을 읽거나, 그냥 쉬면서 업무를 준비하거나 등이었다. 고작 한 시간을 효율적으로 쓰기 위한 방법을 모색하던 나는 스스로에 대한 중간 점검이 필요하다는 생각에 위의 선택지들을 모두 폐기하고 사색에 잠기는 쪽으로 계획을 틀었다.

전날 나는 분명 육체적으로나 정신적으로나 다소 무리했다. 충분한 시간 수면을 취하진 못했어도 수 시간의 수면 이후 아침이 도래했을 때 비로소 전날의 나를 보다 객관적으로 바라보게 되는 법이다. 이런 상황에서 바로 현씨의 글을 이어 읽기보다는 내 상태를 먼저 자문自問하고 확인 및 정리하는 쪽이 합리적이었다. 한 시간이면 충분했다.

스스로에게 질문했다. 왜 현씨의 글을 읽고 있는가. 무엇을 분석하고 있는가. 알고 싶은 것이 무엇인가. 스스로에게 답하기를 나는 진실을 파헤치고자 했다. 왜 진실을 파헤치려고 하는가. 어떤 진실을 원하는가. 나는 이에 대해 상황을 납득하기 위함이라 답했다. 어떤 상황을 납득하려고 하는가. 현씨의 죽음을 납득하고자 했다. 스스로 택한 죽음을 납득한다는 것이 현실적으로 가능한가. 물론 불가능했다. 정확히는 현씨가 죽음에 다다른 심리의 경로를 이해해 보고자 함이었다.

그래서 이해했는가. 내용 파악에는 문제가 없었고, 나름대로 글의 구조도 이해했다. 그러나 내가 원하는 수준으로 현씨를 이해했는지는 확신할 수 없었다. 납득할 수 없는 부분들이 간혹 있었다. 아직 다 읽지 않기도 했고, 전날의 상태를 떠올리면 평균적으로 그다지 안정된 상태가 아니었기 때문이다.

불안정했다면 그 원인과 방식은 무엇인가. 사실 내가 현씨의 실종 소식을 접한 지는 만 하루뿐이 안 되었다. 그 사이 나는 상당히 많은 양의 정보에 노출됐다. 그리고 그런 정보들에 의해 전날 내 일상의 흐름은 깨졌다. 게다가 경찰서에도 다녀와야 했고 현씨의 글을 읽는 과정에서 얕게라도 일부 배경지식에 대한 리서치를 동원해야 했다. 나 또한 상대적으로 취약한 심리 상태에서 다급하게 현씨의 글을 읽었다. 가까운 사람의 죽음, 특히 현씨의 죽음은 실제 죽음이라는 것이 밝혀지지 않았어도, 내가 감정적으로 잘 흔들리지 않는 성격이었어도 꽤나 타격이 큰 것이었다. 물론 내가 심리적으로 그로기에 빠질 정도는 절대 아니었다. 단지 그 죽음이 현씨의 것이라면 단순한 죽음이었을 것 같지는 않다는 생각이 내 연구 본능을 자극한 것이었다. 그렇게 생각하려 애썼고 실제로도 그랬다.

객관화의 강도를 높여서, 왜 그렇게까지 현씨와 현씨의 글을 들이팠는가. 괜히 유난 떠는 것은 아닌가. 맞다. 객관적으로 보면 나의 분석은 무엇도 바꿔 놓지 못했다. 진실을 파헤친다는 것 역시 지나치게 거창한 것이었다. 맞다. 현씨가 엄청난 비밀을 숨기고 실종된 것도 아니었고, 글이 암호처럼 쓰인 것도 아니었다. 오히려 적나라했다. 진실을 파헤치겠다는 처음의 답변은 그래서 구체화될 필요가 있었다.

다시 한번 질문했다. 나는 왜 현씨의 글을 읽고 있는가. 솔직하게 답한다면 답답해서 그랬다. 현씨의 글을 읽으며 나는 잠시 분노했다. 나는 왜 눈물을 흘릴 정도로 분노했는가. 내가 크게 흔들리지는 않았어도 슬픔이 없던 것은 아니었다. 살면서 현씨처럼 나와 잘 맞는 친구를 만난다는 것은 쉬운 일이 아니었다. 나는 현씨와 친했고 그를 존경했다. 그런 사람의 죽음은 당연히 슬픔을 발생시킨다. 단, 만 하루 동안 나는 슬프기만 한 것이 아니었다. 내가 할 수 있는 것이 없다는 생각 때문에 억울했고 비참했다. 현씨에게도 마찬가지로 화가 났지만 나는 분명 스스로에게 분노했다.

돌아와서, 내가 할 수 있는 것이 없다는 사실, 곧 내가 현씨의 죽음을 돌이킬 수 없다는 사실에 대한 보상 심리로서 나는 '납득'하고자 했다. 내가 납득하지 못하면 이런 분노는 해소하기 어려웠다. 그래서 내가 현씨의 글을 읽는 목표에 무의식적으로 설정한 상한선은 '납득이 될 때까지'였다. 결국 진실을 파헤치는 것이란 납득하는 것과 동의어였다. 객관적인 진실이 아니라 실제로는 주관적인 납득이었다. 그것이 이유였다.

내게 그럴 책임이 있는가. 책임에 관해서는 세 가지를 언급해야 하는데 법적 책임과 사회적 책임, 그리고 개인적 책임이 있겠다. 우선 법적 책임은 내게 없었다. 이에 나머지 두 가지를 살폈다. 내가 현씨에게 했던 이야기들 일부가 글에 녹아 있고, 가출력본에 한하는 것이지만 분명히 내가 언급됐다. 현씨의 가족 분들이 나를 걱정하고 있다 했지만 여전히 그들은 사랑하는 아들을 잃었고 그의 죽음이 남긴 마지막 힌트가 조금이라도 나와 연관되어 있다면 내가 먼저 이해하고 해명하는 것은 당연했다. 그것이 나의 사회적 책임이라고 볼 수 있었다.

껍데기뿐인 것을 향한 위령

개인적인 책임이란 무엇인가. 이것에 대해서 나는 구체적으로 생각해 본 적이 없었다. 모호하게라도 그런 것을 느끼고 있었다는 사실을 부인할 수는 없었지만 그것이 어떤 형태인지 나는 정확히 알지 못했다. 이를 '책임'이라 분류해도 되는지조차 확신할 수 없었다. 그러나 내가 책임이라고 느끼고 있다면 이는 더 이상 대화를 나눌 수 없는 현씨에 대하여 그가 남긴 마지막 요청을 들어 주는 것이었다. 구체적인 요청 내용은 추측에 기반한 것이 전부지만 그가 작성하지 않은 목차가 "해제"였으니 어쨌든 나는 이해하고 납득하는 것으로 의문의 요청에 대한 밑바탕을 깔아 두고자 했던 셈이다. '책임'이 아닌 다른 말로 표현한다면, 「보편변증」의 표현처럼 "위령"에 가까웠다.

그렇다면 실상 '미련이 남은 것'이라 봐야 하는 것이 아닌가. 반은 맞고 반은 틀렸다. 내가 상황을 바꿀 수 없다면 미련을 가질 필요가 없다. 그런 면에서 나는 조금도 미련이 없었다. 한편 현씨의 글을 납득하려는 시도 자체가 미련이 남은 자의 행동이라는 사실은 부인하지 못했다. 현재 상황을 바꾸려는 것이 아닌 나의 상황을 바꾸려는 것에 대한 미련이라고 봤다. 고로 나는 미련이 남았을지언정 미련하지는 않았다.

　자문 종료. 시계는 9시 40분을 가리키고 있었다. 나의 심리도 확인했으니 곧 시작될 업무에도 집중하기 수월할 듯했다. 그리고 나는 연속된 두 번의 검사 업무 후에 제9장 "장소"에서 다시 시작하여 남은 텍스트로 돌입해도 되겠다고 결론지었다. 다음날이 토요일이었으니 보고서는 주말에 작성해도 문제 없었다. 오후 늦게 이른 저녁을 먹고 나면 나는 온전히 현씨의 글에 집중할 수 있는 시간을 확보할 수 있을 것이었다. 나는 검사실로 향했다.

　"오신다고 들었어요. 내일 낮 시간 중에 괜찮을까요?"

　첫 번째 검사 중에 모르는 번호로 걸려 온 전화가 있어서 검사 후 확인해 보니 현씨의 누나라며 통화 부탁한다는 문자가 와 있었다. 내가 방문하기 전까지 직접 가족 분들과 이야기할 일은 없을 것이라 예상했기에 나는 당황스러웠다. 수사관이 언급한 대로 이제 현씨의 실종 사건 수사와 상관이 없어진 상황이라 내 번호를 넘겨 준 것으로 보였다. 다음 검사가 바로 시작할 예정이었기에 고민할 시간 없이 결국 전화를 걸었고 현씨의 누나는 차분한 목소리로 다음날의 방문 일정을 내게 물었다. 나 또한 차분하게 그에 응했고, 오후 두 시로 약속을 잡은 후 검사실로 복귀했다.

검사를 모두 마친 후 식사하러 가는 길에 수사관에게 전화하여 확인차 다음날의 동행 여부를 물었다. 그가 같이 갈 의향이 있다면 단지 약속 시간을 알려 주기 위해서였다. 처음에 그는 주말이기도 하고 당연히 나만 가는 것이라 생각했다고 답했다. 그리고 내가 같이 가는 것이라 생각했던 것도 아니었고 같이 가자는 말도 하지 않았는데 수사관은 잠시 고민하는 듯하더니 연락을 다시 주겠다며 전화를 끊었다. 무엇 때문에 고민하는지 이해하지 못했지만 내가 신경쓸 문제는 아니었다.

식사를 마치고 다섯 시경 연구실로 돌아와 현씨의 책 사본과 가출력본의 사본을 꺼냈다. 전날 귀가하기 전 읽었던 9장과 10장을 다시 읽었다. 「고顧」라는 새로운 대제목으로 분류된 두 장은 합쳐도 다른 장보다도 짧고 내용도 어렵지 않아서 금방 읽을 수 있었다. 대신 「소訴」와 같이 현씨 개인적인 감정이 주제가 되어 글을 마무리하는 위치로 쓰인 듯했다. 제9장 "장소"의 경우 제5장 "기호"의 연장선으로 읽혔다. 현씨가 글을 쓰는 "문서"를 예시로 삼아 결국 그가 이 세상에 남아 있을 장소와 자리가 없다는 것, 그리고 현씨의 자리를 빼앗은 "의미들", 그로 인한 결과이자 동시에 그런 장소의 상실 자체를 역마살로 부연하는 것.

마지막 장소의 상실이 목전에 있음을 느낍니다.

문자 그대로를 이해한다면 현씨는 이 글을 작성하는 것으로써 마지막 "장소"를 잃었다. 다시 말해 그를 죽음으로 몰고 간 것, 구체적으로는 그의 존재를 말소시킨 요인이 바로 이 책이었다. 나는 여기에서 다소 안타까운 역설을 찾을 수 있었다. 그가 이 글을 쓰는 것이 그의 마지막 거처로서 "숱한 임시 거처들 사이를 옮겨다니다가 최종적으로 디지털 문서로 도피"한 것이었지만 동시에 "문서 작성이 끝나면 정말로 내[현씨]게는 존재할 장소가 사라"지는 모종의 자살 행위였던 것이다.

나는 가출력본과의 비교를 통해 해당 부분이 현씨가 가장 마지막으로 작성했다는 사실을 짐작할 수 있었다. 가출력본의 경우 앞서 말한 3장의 각주가 없는 것과 더불어 큰 차이를 보이는 부분이 바로 마지막 두 개 장이었다. 8장까지는 가출력본 6번에서 수정과 보완을 거친 정도였지만 9장과 10장의 경우 각각 마지막 네 개의 문단이 가출력본 6번에 추가되어 넘어온 것이었다. 예컨대 "본 문서의 작성에도 힘이 부"친다는 텍스트는 가출력본을 참조하고 내용적으로 보아도 가장 마지막에 쓰인 글 중 하나라고밖에 볼 수 없었다. 가출력본에서 9장의 마지막 부분은 인간의 장소화 본능에 위배되는 손실을 언급하는 문단이었다. 그러다가 글을 추가하면서 8장의 역마살, 1장의 부끄러움과 비정상성을 언급하며 글의 내용을 급하게 정리한 것을 보면 현씨가 "장소에 대해서는 더 많은 것을 적을 수 있고 또한 적고 싶"었다고 적은 것이 어느 정도는 사실인 듯했다.

고로 죽음이 임박했습니다.

가출력본과의 또다른 차이점은 제10장 "축도"의 첫문장이 추가됐다는 것이었다. 이는 현씨가 9장의 마지막 문단을 작성하면서 추가한 것으로 보였다. 「소訴」와 「변辨」의 마지막 문장이 동일한 문장이라는 사실을 상기하면 해당 문장이 10장의 처음이 아니라 9장의 마지막에 적혀 있어도 이상할 것이 없었기 때문이다.

10장의 처음 부분에 현씨가 정신이 혼미하고 어지럽고 숨을 쉬기 어렵다고 적은 내용은 이로써 9장의 마지막보다 먼저 작성된 내용이 되는 것이었다. 그리고 글이 하나의 덩어리로 적혀 있던 가출력본 2번에서 9장의 "장소성" 관련 내용의 씨앗으로 보이는 언급들이 발견되는 반면 10장과 관련된 내용은 아예 없었다. 10장은 현씨가 가출력본 2번 이후에 목차를 나누어 정리하면서 글의 결론부로 추가한 것 같았다.

따라서 특이할 것 없는 결론이지만 10장은 글의 기획적인 면에서도 마지막에 작성된 글이며, 실제 작성 과정에서도 가장 후반부에 쓰였을 가능성이 높았다. 뒤의 「보편변증」이 가출력본 6번과 거의 차이가 없다는 점을 고려할 때, 특히 10장의 마지막 네 개 문단은 책에서 가장 나중에 쓰인 글로 보였는데, 이는 책의 다른 부분보다도 두드러지게 자조적이며 글의 나머지 부분과 반대되는 이야기를 하고 있었기 때문이다.

나 또한 그대들과 같이, 단지 행복하고 싶었던 것입니다.

대표적으로 현씨가 스스로의 보편적인 면을 강조 ─ 3장의 각주처럼 ─ 했다는 점이었다. 글의 마지막에 와서야 "죽고 싶었던 것"이 아니었다거나 "부질없는 일개 인간"임을 주장한 것도 그것의 연장선인 듯했다.[54] "보편생애"라는 제목은 위 글이 아직 적히지 않은 가출력본 6번에서도 동일하게 제목으로 사용됐지만 현씨가 다급하게 스스로에게 솔직해진 것이 아니라면 그가 제목에서 의도했던 것이 결국 이 지점, 글의 마지막에서야 비로소 드러나는 것일지도 몰랐다.

현씨가 "여전히 장소 없는 폐허에서 머리 누일 기억을 찾고 있"다거나 "붙잡아 줄 존재를 찾고 있"다고 호소한 것도 조

---

[54] "일개 인간"에 붙은 '부질없음'이라는 형용사는 모든 인간 개체가 그러함을 성토하는 것이 아니라 ─ 글 전체의 맥락을 고려하면 ─ 현씨 스스로를 비하하는 의미에 가깝다.

금 혼란스러운 부분이었다. 이것을 단순히 그의 심리적인 불안정함의 부연이라 봐야 할지, 그가 죽음을 망설이는 것이라 봐야 할지 결정하기 어려웠다. 둘 중 무엇이건 결국 "부질없는 일개 인간"으로 귀결되긴 하지만 만약 현씨가 죽음을 망설였다면 ― 정확히는 그런 망설임을 글로 적은 것이라면 ― 이 책을 인쇄한 의도를 추측하는 데에도 영향을 미치는 것이었다.

이 정도가 다였다. 길지 않은 한숨. 9장과 10장에서 내가 얻을 수 있는 정보는 그렇게 많지 않았고, 현씨를 파악할만 한 단서가 있다 해도 그것을 정확히 해석하기도 어려웠다. 오히려 앞의 「변辨」만큼 무겁지 않아서 그저 읽으면 될 것을 내가 분석하겠답시고 너무 어렵게 다가갔나 싶기도 했다.

「어렵게 생각하실 건 없는데.」

세션에서의 대화가 깊어지면 현씨의 말은 대개 어려워졌다. 비단 내가 잘 모르는 학문 영역의 이야기들과 용어들만 어려웠던 것이 아니었다. 그것은 관련 정보만 추가로 습득하면 해결되는 문제였다. 그러나 같은 대상을 두고도 현씨가 정의하고 사고하는 방식이 복잡한 경우라면 단순 정보만으로는 부족했다. 그래서 내가 여러 번을 되물어야 했던 적도 많았다. 현씨에게 말한 적은 없지만 그런 상황에 놓일 때마다 나는 현씨로부터의 비언어적 정보까지 참조하면서 그의 말을 이해하기 위해 노력했다. 다시 말해 나는 현씨를 학습하곤 했다.

말을 어렵게 하는 것이 싫은 것은 아니었다. 오히려 그런 점 때문에 현씨를 연구 대상으로 삼았던 것이었다. 내가 더 자세한 설명을 요구할 때마다 현씨 역시 포기하지 않고 더욱 열정적으로 부연했으니 답답할 일도 없었다. 앞서 말했듯이 현씨는 스스로의 생각을 말로 제대로 표현해 본 적이 많이 없어 보였다. 내가 판단하기에 세션에서 그에게 필요했던 것은 바로 그런 부분이었다. 그의 사고 자체는 매우 복잡한 체계일지 몰라도 그것을 정리해서 말할 기회가 부족했던 것이다. 그래서 때로는 내가 이해가 끝났음에도 더 명료한 설명을 이끌어 내기 위해 대화를 이어 간 적도 몇 번 있었다.

사실 이런 방식은 현씨도 내게 자주 적용했었다. 내가 생각만으로 모호하게 알고 있고 마음을 굳힌 견해들에 대해서, 혹은 내가 모호한 줄도 모르고 생각해 온 부분들에 대해서 현씨는 놀라울 정도로 집요하게 파고들어 정확한 "스테이트먼트"를 요구했다. 그는 내 스테이트먼트에서 지극히 일상적인 어휘의 사용 하나 하나까지 — 형용사의 사용에 특히 더 민감하게 — 그 의도를 물어 가며 나를 당황시키곤 했다. 물론 그 결과물에는 항상 서로가 만족했었다.[55]

---

[55] 재미있던 점은 현씨와 내가 세션에서 서로에게 이런 방식을 적용했던 목적은 동일했지만 그 방법에서는 사뭇 달랐다는 사실이다. 이는 각자의 전공 차이가 큰 영향을 미친 것으로 보였다. 상담을 통한 환자의 발화를 이끌어 내는 것에 익숙했던 나는 현씨의 의견이 자연스럽게 정교해질 때까지 간접적으로 대화를 진행했다. 반면 현씨는 "크리틱" 방식 — 세션에서 그가 내게 말한 적이 있었다 — 이 익숙했던 탓에 개별 항목들을 쪼개고 지적하며 그에 대한 직접적인 설명과 보완을 요구하곤 했다.

문제는 당신이 추가적인 설명을 무한정 할 수 있었던 세션 상황도 아니고 글 하나 달랑 남겨 두고 떠난 마당에도 내게 어렵게 생각할 것 없다는 말을 할 수 있을지였다. 책에 담긴 내용은 세션으로 보완될 필요가 있었다. 그가 죽음을 유예하고 이 책을 내게 직접 넘겼다면 나는 수 시간은 기본이고 수 일에 걸쳐서라도 현씨의 생각을 더 정교하게 만들 자신이 있었다.

답답했다. 아무래도 전날만큼의 집중력이 발휘되지 않는 것 같았다. 우선은 「보편생애」를 다 읽었으니 전날 매핑한 자료에 몇 가지만 추가로 메모한 후 다음 텍스트로 넘어가기로 했다.

"내일 열한 시 즈음 경찰서로 와요. 거리도 좀 있고 하니까 내가 운전해서 가는게 선생님도 편할 거에요."

굳이 그렇게까지. 수사관은 같이 가는 쪽으로 마음을 바꾼 모양이었다. 현씨 가족 분들 댁에 가는 시간을 생각해도 여전히 이른 시간이라 내가 약속 시간보다 일찍 만나는 이유를 묻자 그는 대수롭지 않은 듯 점심도 먹고 이야기나 좀 나누다가 들어가기 위해서라고 답했다. 나는 그가 전날 그랬던 것처럼 내 상태를 걱정한다거나 살피려 드는 것이 아니길 바랐다.

일곱 시. 잠시 병원 근방에서 산책을 하고 돌아온 나는 시간을 확인한 후 「보편변증」을 펼쳤다. 다음날 오전에 경찰서를 방문하려면 날을 넘기기 전에 다 읽고 분석을 마쳐야 했고 시간은 충분했다. 아무 말 없이 각자의 보고서를 작성하고 있는 두 명의 연구원이 타자를 치는 소리만 연구실에 울렸다. 보통의 상황이라면 음악을 틀거나 서로 잡담하면서 환자에 대한 의견도 나누는 분위기지만 교수님이 대체 어떻게 당부했는지는 몰라도 연구원들은 이따금씩 필요한 한두 마디 정도만 작게 말하는 것을 제외하면 일체 말을 꺼내지 않았다.[56]

「보편변증」은 멈추지 않고 단숨에 읽을 수 있었다. 정확히는 글의 종류가 앞선 「보편생애」와 완전히 달랐기에 내가 현씨의 심리 상태에 관한 어떤 새로운 분석을 시도할 내용이랄 것이 없었다. 「보편변증」은 현씨의 예술 이야기에 대한 후속 내용 내지는 「보편생애」의 문학적 요약 정도로만 보였다. 대신 「보편생애」를 분석했던 배경이 있어서 얼핏 난해해 보이는 글의 뼈대와 현씨가 의도한 바 정도는 읽을 수 있었다.

물론 나는 철학에 대해서 잘 알지 못하고 기초적인 지식뿐이라 현씨가 정확하게 어디까지 의도했는지는 알 수 없었다.

---

56 나중에 알게 된 것은 이날 함께 연구실에 있던 연구실 최고참 박사님도 담당 환자가 스스로 목숨을 끊은 적이 세 번 있었고, 연구실 사람들에게 미리 주의를 준 사람도 교수님이 아니라 그 박사님이었다는 사실이다. 나는 실무에 투입된 지 3년이 채 되지 않은 시점이었던 고로 그런 경험은 아직 없었다. 박사님은 담당 환자의 첫 사망 당시 자신이 겪었던 심각한 충격을 떠올렸고, 특히 나는 가까운 지인이 사망한 경우였기에 나를 일단 가만히 두고 지켜보려 했다는 것이다. 우리가 이런 상황에 대비한 교육을 철저하게 받고 업무에 임하기는 하지만 정작 실제로 그런 일을 겪을 경우 충격 자체는 피할 수가 없다는 것이 그의 설명이었고, 나도 그것을 시인했다.

그래서 내가 파악할 수 있는 것은 — 글의 제목을 단서 삼아 — 가장 주된 내용인 "껍데기뿐인 것"에 대한 Z의 변증법, 다시 말해 "껍데기"[테제]와 "코어"[안티테제]의 변증법으로서 "껍데기뿐인 것=코어"[진테제]였다. 글의 후반부는 이에 대한 은유로서 "뮤즈"와 "뮤트"의 "존재와 존재하지 않음에 관한 논쟁"에 따른 "매질"[테제]과 "기억"[안티테제]의 변증법, 곧 "음악"[진테제]의 탄생 비화였다. 사실 글의 특성상 「보편변증」에 대해서는 위와 같은 문학적 분석이 아니라면 단순 감상만 가능해 보였고, 여기서 얻을 수 있는 유의미한 결과는 「보편생애」와의 동의어 찾기를 통한 분석 내용 검증이 다였다. 예컨대 "스스로 존재하는 자의 비애"라던지 "꾐을 받고 싶어 함을 '두려움'이라 명명"했다던지 "아름다움을 향유할 자격조차 없었"다던지 등이다.

내가 유심히 살폈던 "S" 혹은 "그녀"로 지칭되는 새로운 인물도 실존 인물이 아닌 듯했고, "Z" — 의심의 여지 없이 현씨 자신 — 에 대한 안티테제로 설정된 가상의 인물에 가까웠다. 그러면서 단지 상징적인 표시로 성별을 변경[남 → 여]하고 초월적인 말투를 사용[인간 → 신]한다거나 글자마저 좌우반전[Z → S]했던 것이 아닐까 하는 근거 없는 짐작만 가능했다.

글 내용에 대해서는 한 시간도 되지 않아 분석을 끝냈다. 정확히는 관둔 것이었다. 글에는 수도 없는 정正과 반反의 대립 구도가 등장하고 이를 분류하여 나열도 해 봤지만 별 소득이 있지는 않았기 때문이다. 차라리 나는 해당 글 자체의 작성 동기를 추측해 보기로 했다.

나는 가출력본 6번에서 제목을 제외하고 거의 수정 없이 책으로 넘어온 「보편변증」에 대해서 몇 가지 의심 — 심증뿐인 추측이었기에 '의심'이라 규정했다 — 을 품고 있었다. 첫째는 이 글이 「보편생애」와는 다른 동기로 쓰였을 것이라는 의심이었고, 둘째는 그럴 경우 이 글이 「보편생애」 이전에 쓰였을 수도 있다는 의심이었다. 이 글이 추가된 상황을 머릿속에서 재현했을 때 새로운 목차로 새로운 형식의 글이, 그것도 주된 글인 「보편생애」가 완전히 작성되기 이전에 사실상 완성된 글이었다는 점에서, 어딘가로부터 이 글을 가져온 것이 아니라면 상황이 자연스럽지 않다는 생각이 강하게 든 것이었다. 동시에 글의 내용이 「보편생애」와 많은 부분에서 통하고 있다는 사실이 그 의심에 반론을 제기하고 있었다. 가출력본 4번이나 5번이 있었다면 명쾌하게 해결됐을 문제였다.

그때 현씨가 내게 보여 줬던 시집이 머릿속을 스쳤다. 당시 책 내부를 내가 열어 보지 않았던 것이 큰 실책이었다. 나는 혹시나 하는 마음에 현씨의 누나에게 전화를 걸어 볼까 고민했다. 낮의 통화에서 차분했던 그녀의 목소리를 떠올리고 나는 심호흡 후 전화를 걸었다.

다행히 그녀는 현씨의 시집을 한 권 갖고 있었으며 일전에 현씨가 그 책을 인쇄했을 당시 직접 자신에게 선물했던 것이라 밝혔다. 시집에 「보편변증」에 해당하는 글, 혹은 그와 유사한 글이 있는지 묻자 그녀는 없다고 답했다. 대신 그녀는 탄식하는 내게 새로운 정보를 알려 주었는데 그것은 현씨가 인용한 "작품 없는 예술가의 자서전"에 해당하는 글이 해당 시집에 있으며 「보편변증」에서 붉은 글자로 쓰인 긴 문단들도 같은 글에서 발견된다는 것이었다. 나는 해당 글을 찍어서 보내줄 수 있는지 정중하게 물었다.

"바로 보내드릴게요."

흔쾌한 수락. 나는 감사를 표하고 전화를 끊으려다가 아차 싶어 다급하게 그녀를 불러 세우고는 해당 시집이 언제 쓰였는지도 물었다. 현씨의 누나는 시집에 "2018년 3월 테스트 인쇄"라 적혀 있다며 현씨가 이를 선물할 당시 여태껏 써 온 시들을 모아서 인쇄했다고 말했던 기억이 난다고 덧붙였다. 나는 다음 날 뵙겠다며 전화를 끊었고 무사히 통화를 마친 것에 가슴을 쓸어내렸다.

예상했던 정보는 없었지만 대신 새로운 정보를 얻었다. 문제는 해당 시집이 거의 6년 전에 인쇄됐으니 『보편생애』와의 시간 간극이 너무 크다는 것이었다. 현씨가 가져온 글이 따로 있었다는 사실도 어떻게 받아들여야 할지 결정해야 했다.

나는 현씨 누나의 자료를 초조하게 기다리며 붉게 인쇄된 현씨의 글만 처음부터 다시 훑었다. 「보편변증」에서는 인용의 출처가 명시되어 있지 않지만 붉은 문단만 이어서 읽으니 출처가 같다 해도 이상할 것이 없는 문체였다. "작품 없는 예술가의 자서전"에서 발췌한 글은 누군가에게 말하고 있는 듯한 문체의 차이를 제외하면 공통적으로 「보편생애」와 「보편변증」의 내용을 일관되게 보조하고 있었다. 소설적 장치 외에는 별달리 이해할 여지가 없었던 해당 문구들이 6년 전의 텍스트에서 빌려 온 것이라면 현씨는 대체 언제부터 이런 생각을 하며 살아왔던 것인가. 혹은 과거의 텍스트를 바탕으로 『보편생애』를 시작했을지도 모르는 일이었다.

생각보다 빨리 자료가 도착했다. 20여 페이지. 제목도 "작품 없는 예술가의 자서전"이 아니었다.[57] 시집처럼 일관된 페이지 상부 여백이 있었지만 글은 산문의 형태를 띠고 있었다. 나는 빠르게 훑으면서 『보편생애』에서 등장했던 문구들을 체크해 나갔다. "작품 없는 예술가의 자서전"이라는 제목으로 발췌한 문구들은 이곳저곳에 흩어져 있었고, 연달아 있지 않은 복수의 문구를 붙여서 넘어온 경우도 있었으며 경미한 수정이 부가된 글도 있었다. "작품 없는 예술가의 자서전"의 원문과의 비교는 금방 끝났다. 교차검증 단계에서는 글이 기존에 존재했다는 것을 확인했다는 사실 이외에 이렇다 할 소득이 없었다.

57　시집에서 해당 글의 제목란에는 "백색신전의 서書"라 적혀 있었다.

그런데 발췌된 문구는 원문의 일부분에 지나지 않았으므로 나는 다시 처음부터 읽으면서 나머지 글의 내용을 파악했다. 예상대로 「보편생애」와 어느 정도 내용상 궤가 비슷한 글이었다. 대신 훨씬 모호했다. 현씨가 「보편생애」를 작성하면서 이 글을 참조하고 발전시켰다는 사실은 명백했다. 나는 「보편생애」와 연관되는 것으로 보이는 문구들을 정리했다.[58]

차라리 잊고 싶지만 뇌의 못된 근성 때문에 치욕스러운 예의 나 자신을 잊을 수가 없습니다. 내가 정신적으로 살해한 사람들을 잊을 수가 없습니다. 오랜 시간을 거쳐 굳어진 통념과 사고와 습관을 잊을 수가 없습니다. 나의 기억에서 지워지지 않는 업보를 청산할 길이 보이지 않습니다.

— 백색신전의 서 中.

현씨는 "업보를 청산할 길"에 대한 해답으로 「보편생애」 제6장 "죽음"에서 "소멸"로서의 죽음을 제시했다.

그리고 이러한 막대한 정신의 업보는, 피치 못하는 성찰의 시간에 처절한 고통의 형태로 내게 찾아 옵니다. 해로운 것을 막기 위해 만들어 낸 스스로의 방어기제가 되려 나 자신을, 그러니까 결국 자해하는 겁니다. 마치 백혈병 환자의 백혈구처럼 말입니다.

— 백색신전의 서 中.

---

58 「백색신전의 서」 원문의 인용은 현씨 가족 분들에게 허락받은 사안이다.

이는 「보편생애」 제3장 "예술"에서 언급한 예술 훈련과 미적 판단, 그에 따른 기호의 과잉 및 부작용을 말하는 듯했다.

살아남기 위해서, 혹은 사랑받기 위해서 나는 자존감이 높은 것처럼 말하고 행동해야 합니다. 이는 굉장한 카모플라주의 경지이며, 위선입니다. 결국 지금은 가면을 쓰고 가면을 사랑하고 가면에게 사랑받는 사람만이 생존하는 암울한 시대이고 맙니다.

― 백색신전의 서 中.

「보편생애」 제2장 "가면"과 유사했다. 대신 6년 전의 현씨가 "가면"이 보편적인 사회 현상인 것처럼 적었다면 「보편생애」로 넘어와서는 자신을 포함한 "비정상 개체"의 전유물로 그 범위를 축소했다.

그들[예술가]은 단지 보통 사람들보다 더 깊은 영역의 감정을 느낄 줄 아는 사람들입니다. 보통 사람들이 이해하지 못하는 그 깊이는 예술가 본인이 감정을 실체로 표현해 내지 않으면 미치광이가 될 수준의 깊이입니다. 그들은 표현해야 했고, 표현하려면 영혼에서 정신을 뚫고 육신에까지 도달하는 강력한 섬광이 있어야 했습니다. 예술가는 그러한 영적인 감각 하나를 얻기 위해 자신의 일상과 정신세계를 통째로 예술과 맞바꾼 자들입니다. 그리고 이것이야말로 그들이 존중받아야 하는 이유입니다.

― 백색신전의 서 中.

"그럴듯함"을 생산하는 "공장"에 대한 현씨 생각의 전신이라 여겼다. 대신 6년 전 글에서 예술 행위를 영적으로 묘사하던 것이 현재에 이르러서는 분위기가 사뭇 바뀌었다. 「보편생애」로 넘어오면서 현씨는 그것을 예술가 보편의 행위가 아니라 "비정상 개체"로 분류한 자신이 죽음을 유예하기 위해 마련했던 임시방편 정도로 격하시켰다.[59]

> 외길을 걷겠다 다짐하지만 솔직히 저는 속으로 끊임없이 사랑을 갈급합니다. 그런데 이상한 것은 나 스스로가 더 이상 사랑받을 수 없다고 여김으로써 이를 잊으려고 발버둥치고 있다는 사실입니다.
>
> — 백색신전의 서 中.

현씨가 자신만의 길을 개척하려는 유형임에는 틀림이 없었지만 그가 "외길을 걷겠다"는 식으로 말한 적은 없었다. 내가 세션에서 기억하는 현씨는 오히려 사회에서 어떻게 살아가야 옳은지, 사람들과 소통을 어떻게 해야 하며 어떻게 동행해야 하는지 등에 관해 가장 치열하게 고민했던 사람이었다. 그런 현씨가 과거에 외길을 걷겠다고 다짐했다면 그 의미는 나약한 스스로의 모습에 대한 완강한 부정이었을 것이다.

---

59 단, 세션에서 현씨가 다른 예술가와 다른 예술에 대해서는 부정하지 않고 오직 자신에 대해서만 부정했던 점을 염두에 둔다면 「백색신전의 서」에서 정의했던 예술 행위의 의미 자체를 수정한 것 같지는 않았다. 이는 「보편생애」의 공통적인 모티프가 되는 "자기 특정성"으로써 스스로를 어떻게든 보편의 영역과 분리하려는 시도와 통한다.

하나였던 '나'는 성찰의 시간에 서서히 한 쌍의 '나'로 분열됩니다. 치열한 공방은 대개 팽팽한 대칭을 이룹니다. ... 이 시간이 끝나기까지 내내 서로를 헐뜯는 한 쌍의 '나'들은 심각한 정신적 고열을 유발합니다. ... 이 얼마나 미련하고 어리석은 모습입니까. 그러나 어쩔 수 없이 이를 반복하는 것은, 정신의 눈물이라도 흘리지 못하면 전 이대로 죽어버리기 때문입니다.

― 백색신전의 서 中.

「보편생애」에서 인용된 "성찰의 시간"에 이어지는 글이었다. 사람들에게 독이 되었다 생각했던 현씨는 스스로를 격려하고 심연 속에서 스스로를 나무랐을 것이다. 정신적 고열과 정신적 눈물. 끝내 현씨는 6년만에 정신적 눈물마저 고갈됐다. 눈물, 곧 "냉각할 판단력"의 고갈이 일으키는 부작용에 대해서 현씨는 「보편생애」 전체에 걸쳐, 그리고 제7장 "사랑"에서 자세히 설명했다. 그것은 "소멸"로 귀결됐다.

당신은 당신이고 나는 나라는 명제가 참으로 소화하기 힘들다는 것을 알았습니다. ... 나는 당신이 아닙니다. 당신 역시 나일 수 없습니다. ... 나의 현재는 당신에게서 연유하고 당신으로 귀결됩니다.

― 백색신전의 서 中.

누구였을까. 추측하기를 현씨는 과거에 이미 초월적인 존재를 설정한 바 있으며 이는 「보편변증」 속 가상의 인물 "S"와

닿아 있었다. 시집의 글과 「보편변증」이 공통적으로 예술을 소재로 삼고 있음을 고려하면 현씨가 설정한 가상의 초월적 인물은 현씨 자신이 생각하는 가장 이상적이고 아름다운 ─ 다다를 수 없는 단계의 ─ 예술 혹은 그런 성격을 띠는 신적인 개념이 의인화된 존재였을 것이다. "종교적 형태의 self-discipline"의 의미가 바로 그런 것이었다.

현씨의 누나가 보내 준 과거 현씨의 글을 읽으면서 나는 온몸의 힘이 빠져나가는 기분이었다. 비로소 현씨에 대해서 납득다운 납득을 하게 됐지만 그것이 희열과 안정은 커녕 나를 극도의 무기력함으로 몰아 넣을 줄은 몰랐다. 나는 종이를 내려놓고 힘없이 짐을 챙기기 시작했다. 열 시 반.

자멸하는 알고리즘

최소한 6년 전의 현씨는 아직 모든 것을 포기한 단계가 아니었다. 과거의 현씨에게는 스스로를 구원할 방법을 스스로에게서 찾고자 했던 열정이라도 있었다. 「보편생애」에 와서 현씨는 자신이 어떻게 모든 것을 포기했는지, 왜 모든 것을 포기했는지 수십 쪽에 걸쳐 장황하게 "해명"했다. 제10장 "축도"에 따르면 현씨가 원하던 바 역시 그렇게 읽히는 것이었다. 그리고 「보편변증」을 추가하면서 "자멸하는 알고리즘"을 향한 "위령"을 바랐다. 불쾌했다.

모든 문제는 당신을 만남으로 시작되었지만 당신을 만남으로
해결될 겁니다.

— 백색신전의 서 中.

　결국 현씨가 직접 창조한 초월적 대상에 대한 기대는 물거
품으로 끝났다. 그가 "자신이 노래했던 신의 이름을 알지 못
했"던 것은 당연했다. 6년 전 그가 가졌던 유일한 희망이었던 "당
신"에 대하여 그간 "존재하는지조차 알 수 없는 신적 존재를
향해 나[현씨]는 살려 달라 수없이 부르짖었"을지 모르지만 현
씨는 「보편변증」의 Z처럼 어떠한 응답도 받지 못한 채 "침묵
이 그 자체로 훌륭한 신탁"이라는 스스로의 환상에 속아 결국
"껍데기를 자처"하고 "소멸"했다.

　입이 없는 나방이 말했다.
　「아방가르드는 실패했다.」

*

　현씨의 가족 분들 댁에 방문하는 날, 이상하게도 잠을 푹 자고 상쾌하게 일어났다. 우선 별다른 생각을 하지 않고 평소의 주말처럼 일과를 시작했다. 차가운 공기를 뚫고 4km를 뛰었다. 돌아와 씻은 후 샌드위치를 만들고 커피를 내렸다.

　내가 현씨와 그의 책, 그리고 나의 상황을 새삼스럽게 의식했던 것은 한 시간 남짓 되는, 나의 토요일 아침 일과에서 매우 중요한 '독서 시간'이었다. 이 시간이면 꼭 음악을 틀었다. 휴대폰을 연결해서 틀기도 하고, CD를 재생하기도 했다. 내가 현씨에게 CD를 받아 처음 재생했던 것도 토요일 아침이었다. 아니나 다를까 내가 음악을 틀기 위해 서랍을 열었을 때 수많은 CD들 사이로 현씨의 것이 눈에 들어온 것이었다.

꿈처럼 멀었던 이틀간의 기억이 순식간에 선명한 현실로 엉겨붙음을 느꼈다. 당연하게도 그날 아침 현씨의 앨범을 재생할 생각은 추호도 없었다. 서둘러 다른 음반을 고르려고 했지만 마음이 가는 앨범도 없었을 뿐더러 현씨의 앨범이 자꾸만 눈에 밟혔다. 내가 이 시간을 좋아하는 이유 중 하나는 독서도 독서지만 책을 읽으며 들을 음악을 고르는 것만큼 행복한 일도 없기 때문이었다. 현씨의 앨범 덕분에 이미 그 행복은 물건너갔으니 굳이 서랍을 닫을 목적으로 손에 집히는 아무거나 한 장을 꺼냈다. 브란덴부르크. 고개를 떨구고 한숨을 토해 냈다. 조금도 내키지 않는 음반이었지만 어떤 CD를 골랐더라도 똑같을 것이 분명했다. 나는 오디오에 CD를 삽입하고 소파에 털썩 주저앉았다.

평상시였으면 소파 옆 협탁에 놓여 있는 책이나 논문을 느긋하게 읽으면서 음악을 즐기는 시간이었다. 나는 소파에 앉고 나서야 전날의 내가 이날 독서 시간에 현씨의 책을 분석하고 정리한 내용을 복기하기로 계획했던 것을 떠올렸다. 두 번째 한숨. 결국 전날의 나 자신을 다그치며 소파에서 일어나 가방에서 서류 꾸러미와 필기구를 꺼냈다. 그래도 복기하는 것이 맞다는 생각으로 스스로를 타이르고 문서를 들췄지만 나는 전날 귀가길에 이미 머릿속으로 현씨 가족 분들에게 어떤 말을 할지 모두 정리한 상태였다. 현씨의 글과 분석한 내용을 다시 들춰 보고 있자니 제대로 눈에 들어오지도 않았다.

나는 정리한 내용을 한 번씩 눈으로 확인하는 정도에서 관두었다. 뒤이어 무엇을 할까 고민했다. 전날 아침 병원에서처럼 사색에 잠기고 싶지도 않았다. 틀어 놓은 음반을 가만히 듣고 앉아 있을 기분도 아니었다.

「바흐는 오래 들으면 정신 나갈 것 같아요.」

나는 음악마저 꺼버렸다. 과거 현씨의 농담에 동의하는 것은 아니었지만 내게는 물리적으로나 정신적으로나 그저 고요함이 필요했다. 현씨의 문서도 다시 가방에 넣고 음악도 끄고 나서야 비로소 평화가 찾아왔다.

음악이 없어도 모든 소리가 기호가 되어 나를 괴롭혔습니다. 애써 귀를 막으면 이명이 도래했습니다. 고요함마저 내게는 주어지지 않았던 겁니다. 이에 나는 음악을 켜고 끄고를 반복해야만 했습니다.

고요함을 즐길 수 없는 삶이 얼마나 고통스러울지 상상해보려다 이내 관두었다. 와 닿는 것도 없었고 별로 알고 싶지 않은 고통일 것 같았다. 나는 고요함조차 허락되지 않았다던 현씨의 글을 떠올리며 눈을 감고 고요함 속에 몸을 기댔다.

일상이 비일상이 되고, 관습이 사건이 됩니다. ... 무의미한 것이 자취를 감춥니다. 나를 둘러싼 세상이 시끄러워집니다.

얼마 지나지 않아 나는 눈을 번쩍 떴다. 역전이. 있을 수 없는 일이었다. 일어나서는 안 되는 일이었다. 나는 심리학자다. 나는 현씨의 친구이자 학문적 피어*peer*다. 거기까지다. "당신은 당신이고 나는 나"다. 정신 차려야 한다. 현씨 가족 분들에게 나는 철저하게 나의 모습 그대로 나아가야 한다. 내게는 나의 본분이 있었다. 내가 현씨로부터 얻는 것은 새로운 경험과 지식이지 정신적 매몰이 아니어야 했다. 종국에 인간을 지배하는 것은 의식이여야 했다. 내가 마음을 열었던 몇 안 되는 사람 중 한 명이라 해서 현씨에게 쉽게 굴복해서는 안 되는 것이었다. 나를 지켜야 했다.

머리를 열고 내 정신을 통째로 끄집어냈다. 나는 차가운 눈으로 그것을 내려다 보았다. 그리고 연구실에 수사관이 찾아왔던 날과 같이 정신 수색에 들어갔다. 어느샌가 무의식에 자리를 잡은 트로이 목마들 ─ 현씨의 문장들 ─ 을 차례차례 마주하고 모두 도려냈다. 나는 의식으로 통제 가능한 범위 내에 있는 기억 장치로 해당 문장들을 이관했다.

정신 수색이 끝나고 시간을 확인해 보니 얼추 시간이 되어 외투를 걸쳤다. 집 안 깊숙한 곳까지 비추고 있는 겨울 햇살에 가방 밖으로 삐져나와 있는 현씨의 문서를 발견했다. 나는 몸을 숙여 문서 전체를 꺼내 가지런하게 정렬한 뒤 가방에 조심스럽게 넣었다. 집을 나와서 택시를 불렀다.

"그럴 줄 알았으면 내가 데리러 갈 걸 그랬네."

택시를 타고 경찰서에 왔다는 이야기에 수사관은 혼자서 궁시렁거리며 안전벨트를 착용했다. 나는 데리러 오지 않아서 차라리 다행이라 생각했다. 나의 주된 활동 범위에 지인이 발을 들이는 것을 그다지 달가워하지 않았기 때문이다. 현씨도 내가 일하는 병원 근방으로 놀러오겠다고 몇 번 말했지만 한사코 뜯어 말리곤 했다.

"좀 어때요?"

수사관은 조수석에 멍하게 앉아 있던 내 눈치를 몇 번 보더니 결국 내 상태를 물었다. 나는 아무렇지 않다고 답하며 눈을 감았다. 그로부터 몇 분간 말이 없던 그는 다시 입을 열었다. 현씨의 글에 대하여, 현씨의 가족 분들에 대하여. 그의 말에는 어떤 유익한 정보도 없었다. 단지 그의 개인적인 감상과 걱정만 한가득이었다. 한 귀로 듣고 한 귀로 흘리던 나는 그의 말을 끊고 같이 가기로 결정을 바꾼 이유를 물었다. 그는 몇 초간 말이 없다가 이내 큰 소리로 답했다.

"마누라가 가 보라 그러는 걸 뭐 어떡해!"

거짓말. 그와의 통화에서 내가 느낀 것은 그 반대였다. 분명 그때의 수사관은 같이 가고 싶어 하는 눈치였다. 퇴근 시간을 넘긴 저녁 시간에 결정을 바꾸고 내게 다시 전화하기까지 그는 아내 분의 허락을 구했을 가능성이 높아 보였다. 이를 확인하기 위해 수사관의 자녀에 대해서 물어보려던 찰나 그가 먼저 웃으며 자녀 이야기를 꺼냈다.

"원래 오늘 우리 딸내미 데리고 한 달 전부터 노래를 불렀던 썰매장 가기로 했거든. 근데 와이프가 선생님 걱정된다고 가 보라는 거에요. 걱정할 게 뭐 있냐고 따졌다가 아주 된통 혼났어. 딸이란 녀석은 지 아빠 없이 가는데도 썰매 탈 생각에 마냥 신났고. 나 참, 서운해 죽겠어."

약간의 과장은 있어 보였지만 아내 분이 가라고 했다는 말은 진짜인 듯했다. 그리고 생각보다 자녀가 어리다는 생각에 외동인지 묻자 수사관은 대수롭지 않게 큰 딸은 대학생이라 독립해서 살고 있고, 둘째와의 나이 차이가 꽤 많이 난다고 답했다. 첫째가 대학 가서 노느라 바빠서 동생 챙길 생각도 안 한다며 집안의 여자들이 다 밉다는 투정은 덤이었다.

나와 현씨 또래의 아들이 있을 줄 알았는데 딸만 둘이었다니. 수사관 쪽을 흘깃 보니 말의 내용과는 다르게 얼굴에 미소가 가득했다. 그제서야 나는 나를 조사한 경찰관이 아니라 누군가의 평범한 아버지가 옆에 있음을 느꼈다. 자식 이야기가 나오자 쉬지 않고 말을 이어 가는 수사관의 목소리도 그다지 시끄럽지 않았다. 마음이 편안해진 나는 크게 숨을 들이쉬었다가 내쉬며 다시 천천히 눈을 감았다.

"주말이라 그런가 차가 안 막혀서 일찍 왔네."

열한 시 반. 현씨 부모님 댁 근처에 도착했다. 40분이 채 걸리지 않았다. 나는 현씨 누나에게 도착 소식을 문자로 남기려다 말았다. 현씨가 묘사했던 현씨 부모님의 성격을 고려하면 일찍 도착했음을 알렸다가는 집에 초대받아서 식사를 대접받을 것만 같았다. 거절하면 그만일 수도 있었지만 상황이 상황이니만큼 거절도 실례가 될 것 같아 약속 시간 직전에 연락하기로 마음먹었다.

나는 차에서 검색했던 가까운 식당 한 곳으로 수사관을 안내했다. 당연하게도 식사 자리에서까지 수사관의 두 딸 이야기는 그칠 줄을 몰랐다. 사흘만에 내가 편해진 것인지, 아니면 여전히 내 상태를 걱정해서 애써 말을 계속 하는 것인지, 그저 같이 온 것에 신이 났는지 알 수 없었다. 대강 맞장구를 쳐 주며 식사를 하는데 수사관이 현씨의 누나 이야기로 화제를 돌렸다. 딸만 둘인 아버지답게 자신의 딸과 비교하며 현씨 누나에 대한 칭찬 일색이었다. 그렇게 의젓하고 든든해 보일 수가 없었다고. 수사관의 말에 여전히 유익한 정보는 없었다. 다만 현씨의 누나가 현씨의 실종 이후로 현씨 부모님을 적극적으로 살핀 덕분에 그들이 그나마 일상을 유지할 수 있었다는 말을 들으니 한편으로는 그녀가 걱정됐다. 분명 현씨는 본인의 누나와도 사이가 각별하다고 했는데.

여전히 한 시간 넘게 시간이 남았던 고로 식당에서 제일 가까운 카페에 들어가 차를 주문했다. 내가 마지막으로 한 번 정리하기 위해 문서 꾸러미를 꺼내 놓고 뒤적거리자 수사관은 현씨가 어떤 사람이었는지 내게 조심스럽게 물었다. 그가 현씨 실종 이후 그의 가족 분들과는 만났지만 정작 당사자 현씨를 만나 본 적이 없다는 당연한 사실을 새삼스럽게 알아챘다. 수사관은 현씨를 알지 못한다. 그런 누군가가 현씨는 어떤 사람이었는지 내게 묻는다면 나는 어떻게 대답해야 하는가.

"생각이 깊고 정중한 사람이었어요."

문서에서 눈을 떼지 않은 채 그의 말에 답했다. 현씨에 대해서는 더 말하고 싶지 않았다. 수사관은 씁쓸한 표정으로 말없이 창밖으로 시선을 돌렸다. 그 뒤로 약속 시간이 거의 다 되어 자리에서 일어나 현씨 부모님 댁 초인종을 누를 때까지도 나와 수사관은 서로에게 한 마디 말도 꺼내지 않았다.

「손님맞이는 어머니를 보고 배웠어요.」

깨끗한 집과 유리컵. 현씨네 집에 놀러갔을 때마다 그가 내게 해 주었던 대접은 절로 미소가 지어지는 수준이었다. 평소에도 집에 손님을 초대하는 것을 좋아한다고 말했던 그는 작은 원룸을 여러 조명과 가구로 정말 잘 꾸민 채 지내고 있었고, 쉽게 칭찬을 꺼내지 않는 나도 첫 방문 당시 그의 섬세한 인테

리어에 감탄을 연발했었다. 현씨네 집은 — 적어도 내가 방문할 때에는 — 늘 깨끗하게 청소되어 있었으며 잔잔한 음악과 함께 그윽한 향기가 풍겨 왔다. 심지어 손님이 앉는 자리와 손님에게 내오는 유리잔까지 정해져 있었다.[60] 와인잔을 제외한 모든 유리잔은 항상 코스터와 함께 서빙했으며 물 한 잔을 요청해도 유리잔에 얼음을 넣고 생수를 따라 내게 건넸다. 편의점에서 사 온 과자를 먹을 때조차 현씨는 무조건 그것을 사기 그릇에 덜어서 테이블에 올렸다. 손님은 절대로 청소와 설거지를 하지 않고 지갑을 열지 않는다는 철칙도 있었다.[61] 세션에서 그런 방식들에 대해 물었을 때 현씨는 자신의 손님맞이가 극진할수록 자기만족을 크게 느낀다고 했다.

괜히 직접 방문한다 그랬나 싶을 정도로 현씨 부모님의 대접도 현씨가 보고 배웠다던 그 모습 그대로였다. 내가 걱정했던 것과는 달리 그들은 웃으며 따뜻하게 나와 수사관을 맞이했다. 나는 어찌할 바를 몰라서 현씨 어머니가 정성스럽게 깎아준 과일이 가득 담긴 접시만 바라보며 앉아 있었다. 수사관은 멀찌감치 따로 의자를 마련한 상태였고, 식탁에는 현씨 부모님

---

60 정확히는 손님이 사용하면 안 되는 유리잔이 정해져 있었다. 현씨는 혼자 사는 집에 유리로 된 잔만 20여 개를 장만할 정도로 유리잔을 좋아했는데 — 당연하게도 술의 종류에 따라 현씨가 내오는 유리잔의 종류도 바뀌었다 — 그중 일부는 값싸고 조악하다는 이유로 절대 손님의 잔으로 사용하지 않는다고 했다.

61 현씨는 손님이 많이 오거나 자신보다 손윗사람이 방문할 때는 상황 통제가 어려워 자신의 매뉴얼을 종종 지키지 못한다고 했다. 혼자 방문하고 손아래였던 나는 얄짤없이 그 규칙을 준수해야 했기에 그의 집을 방문할 때마다 대신 작은 선물을 챙겨 가곤 했다.

과 누나가 나와 마주 보고 나란히 앉았다.

문서를 꺼냈다. 조금 긴장한 채 말없이 종이 끝자락만 만지작거리던 나를 지켜보는 현씨 가족 분들의 시선이 느껴졌다. 분명 현관을 열고 서로 반갑게 인사도 나누었고 현씨 어머니가 과일을 깎는 동안 현씨 아버지와 수사관까지 셋이서 몇 마디 상투적인 이야기를 나누었건만, 정작 자리에 모두 앉으니 나도 그들도 어떻게 이야기를 시작해야 할지 난감한 듯했다.

침묵마저 바닥에 가라앉을 무렵 나는 숨을 고르고 차분하게 말을 시작했다.

"본론에 앞서, 지금부터 말씀드릴 내용은 [현씨]에 대한 어떠한 종류의 정신 감정도 아니며, 심리학 이론에 기반하되 개인적인 경험과 견해를 더하여 [현씨]의 당시 심리를 추측할 뿐임을 인지해 주시기 바랍니다."

고개를 들어 현씨의 부모와 누나를 살폈을 때 ― 방문 이후 그들과 제대로 마주본 것은 그 순간이 처음이었다 ― 그들의 표정은 내가 예상한 것과 너무도 달랐다. 그날 그들을 처음 만났음에도 나는 그들이 하나같이 야위었음을 단번에, 그리고 새삼스럽게 눈치챘다. 동시에 그들의 얼굴은 평온했다. 그들에게는 이미 한 차례, 혹은 그 이상의 폭풍이 지나가고 고요가 찾아와 자리하고 있었다. 그들은 받아들일 준비가 되어있는 것이 아니라 이미 모든 것을 받아들인 상태처럼 보였다. 그들이 나를 바라보는 눈빛은 나의 말을 기다리는 초조함이 아니라 나를 향한 걱정과 안타까움이었다. 식탁 위의 과일 접시로 다시 시선을 떨궜을 때, 내가 그 집에 방문한 직후부터 매 순간 그들이 간신히 붙잡고 있는 무언가가 있다는 사실을 직관적으로 알아차렸다. 그것은 다름 아닌 나를 향한 그런 걱정과 안타까움으로 표상되고 있는 것이었다.

그 생각에 미치자 나는 그만 울음을 펑 터뜨리고 말았다. 당혹스러웠다. 갑자기 왜 울음이 터졌는가. 나는 왜 우는가. 누구 앞에서 우는가. 현씨의 가족 앞에서 어떻게 감히 내가 울고 있는가. 내게 울 자격이 있는가. 그럼에도 나는 멈출 수 없었다. 내가 저항할 수 없는 어떤 힘에 의해 나는 펑펑 울어야만 했다. 다 설명할 수는 없었지만 일반적으로 '슬픔'이라 불리는 감정이 몰려 온 것이었다.

분명 나는 이전까지도 슬픔을 느끼고 있었다. 그러나 그것은 현씨가 사라진 것에 대한 슬픔이었다. 그보다 극심하게 찾아온 제2의 슬픔은 현씨를 잃은 나에 대한 슬픔이었다. 처량했다. 익숙하지 않아서 극도로 싫고 불쾌했다. 인정하기 싫었지만 나는 알고 있었다. 참으면 안 된다. 다 울어야 한다. 모든 것을 토해 내야 한다. 지쳐 쓰러질 때까지 울어야 한다. 그래야 해소되는 것이었다.

동시에 내가 분석한, 현씨가 글을 쓰며 느꼈을 괴로움이 떠올랐다. 이내 그것은 가슴을 후비고 들어왔다. 아팠다. 이 역시 익숙하지 않아서 당혹스럽고 불쾌했다. 다 설명할 수 없었지만 일반적으로 '공감'이라 불리는 현상이었다.

내가 이전까지 현씨에게 공감하지 않았던 것이 아니었다. 분명 안타까웠고, 현씨가 어떤 부분에서 어떻게 힘들었는지 나는 충분히 이해하고 공감하고 있었다. 그러나 그것은 현씨의 글 내용과 심리 상태에 대한 공감이었다. 그보다 극심하게 찾아온 제2의 공감은 현씨의 감정에 대한 공감이었다. 이것이 연료가 되어 나는 계속 울어야만 했다. 이 불쾌한 감정을 제거하려면 확실히 다 태워야 했다.

자존심이 상했다. 억울하고 화가 났다. 내가 울고 있음을 인정하고 싶지 않았다. 나는 울고 있는 내 상태를 심리학적 관점에서 해명하기 위해 머릿속으로 설명 가능한 이론들을 필사적으로 탐색했다. 소용없었다.

가족 분들은 갑작스러운 나의 울음에도 표정과 행동에 아무런 변화가 없었다. 다만 현씨의 어머니가 다가와 나를 안았다. 등에 그녀의 토닥임이 느껴졌다. 그녀가 너무도 수척했던 나머지 내 품에는 그녀의 뼈밖에 느껴지지 않았다. 나는 더 크게 울었다. 안아드려야 하는 것은 나인데, 가만히 안긴 채로 나는 아무 것도 할 수 없었다.

한참을 울고 난 후 조금씩 진정하면서 드디어 설명 가능한 모델을 떠올릴 수 있었다. 이제서야 수용의 네 번째 단계[62]에 진입했던 것이었다. 나는 현씨 부모님 댁에서 마침내 그것을 다 쏟아 낼 수 있었다.

아직 받아들이지 못한 것은 나였다. 받아들이지 않은 것에 가까웠다. 물론 그것이 원동력이 되어 현씨 가족 분들에게 설명할 만큼의 분석이 진행된 것 또한 사실이었다. 그렇지만 지난 며칠간 그로 인해 내게 쌓인 정신적 피로감과 압박감은 생각 이상으로 끔찍한 수준에 도달해 있었다. 수사관이 내 연구실에 방문했을 때 분명 내면에서 원인을 찾아 제거했다고 자신했지만, 진짜 원인은 다른 곳에 있었다. 내가 현씨의 죽음을 받아들이지 못했다는 것, 더 정확히는 현씨의 죽음을 받아들이는 나의 모습을 인정할 수 없었다는 사실이었다.

받아들이면 안 된다고 스스로 여긴 모양이었다. 현씨를 분석할 책임이 내게 있다고 생각했다. 현씨의 글을 읽을 책임이 내게 있다고 생각했다. 나는 현씨의 글에서 그의 죽음의 이유를 필사적으로 찾았다. 그것을 찾고 완전히 이해해야만 현씨의 죽음을 받아들일 수 있다고 생각했다. 동시에 나는 현씨의 글에서 그의 죽음의 허점을 필사적으로 찾았다. 그것을 찾아야

---

62 일반적으로 '죽음의 5단계'로 알려진 퀴블러-로스의 이론으로, 나는 개인적으로 죽음 이외의 수용의 상황에서도 동일한 과정을 겪는다고 보기에 이를 '수용의 5단계'라 부른다. 수용의 각 단계는 부정Denial, 분노Anger, 타협Bargaining, 우울Depression, 수용Acceptance이다.

만 내가 현씨의 죽음을 받아들일 필요가 없어질 것이라 생각했다. 현씨 가족 분들이 나를 바라보는 표정 또한 내가 아직 받아들이지 못했음을 알고 있기에 나오는 표정 같았다. 그렇다고 해서 현씨의 가족 분들이 완전한 수용의 단계에 도달했다고 볼 수는 없었다. 분명 이들은 나보다 훨씬 힘든 시간을 보내 왔고 앞으로도 오랫동안 그럴 것이었다.

"이야기하지 않아도 괜찮아요."

"아뇨. 해야 합니다. 들으셔야 해요."

나는 벌개진 얼굴을 연신 훔치며 단호하게 답했다. 사실 가족 분들보다도 현씨에게 말하고 싶었다. 나의 분석과 견해를 현씨가 이 자리에서 듣길 원했다. 그것이 그가 내게 요청하고자 했던 "해제"라면 더욱 그가 이 자리에 함께 있어야만 했다. 내가 어떤 고생을 해 가며 이걸 읽고 분석했는데.

다른 무엇보다도, 내가 받아들이지 않고 있다는 사실을 받아들이기 위해서는 말해야 했다. 그것으로 내 역할을 오롯이 "환원"시켜야 했다. 그래야만 멈추어 있던 내 다리가 움직여 한 걸음 앞으로 내디딜 수 있는 것이었다.

얼마가 지났을까. 나는 울음을 그치고도 한동안 눈을 감고 고개를 숙인 채 완전히 진정될 때까지 기다렸다. 가족 분들 역시 자리에 가만히 앉아 침묵을 지켰다. 이야기를 시작해도 되겠다는 판단이 들 시점에 나는 고개를 들어 다시 가족 분들의 상태를 점검했다. 전반적으로 변화는 없었다. 현씨 어머니만 눈시울이 붉은 상태였지만 표정은 오히려 더 편안해진 듯했다.

입을 뗐다. 천천히 그러나 분명하게 나는 내가 겪고 이해하고 분석한 모든 것을 설명하기 시작했다. 현씨와 친해진 시점부터, 서로 어떤 이야기를 주고받았는지, 현씨에 대한 나의 인식이 어땠는지, 글에서 읽히는 현씨의 심리가 어땠는지, 내가 이해한 현씨의 글의 의미와 말하고자 했던 바가 무엇인지, 현씨가 내게 무엇을 요청하고자 했는지 등. 나는 이야기하는 내내 현씨 가족 한 분 한 분과 눈을 마주치려 노력했다. 그들은 설명 내내 큰 표정의 변화 없이 조용히 경청했다.

사실 그들도 이미 알고 있을 내용이 많았다. 나만 현씨의 글을 읽은 것도 아니었고, 나와 비교할 수 없는 수준의 긴 시간을 현씨와 함께했던 '가족'이었다. 나와 현씨가 나눈 몇 안 되는 이야기를 제외하면 그들에게 새로운 정보라고 할만 한 내용이 별로 없었다. 그래서 나는 현씨가 그랬던 것처럼, 그리고 내가 그랬던 것처럼 나의 "스테이트먼트"에 집중하여 명료한 견해를 전달하는 것에 신경을 쏟았다. 스스로 존재하는 현씨가 아니라 나의 현씨에 대해서 말하고자 했다.

아무래도 할 말이 많았다. 이야기를 마치고 보니 무려 한 시간 반 동안 쉬지 않고 그들에게 설명한 것이었다. 과일은 금세 말라버렸고 차는 식어버렸다. 나는 문서 꾸러미를 바라보며 잠시 말을 멈추었다가 설명이 끝났음을 알리고 질문이 있는지 물었다.

"고생이 많았겠어요."

질문은 없었다. 현씨 아버지만 짤막하게 대답한 것이 전부였다. 다시 한번 가족 분들의 표정을 살폈다. 역시나 큰 변화는 없었다. 현씨 어머니가 내 찻잔에 손을 대 보고는 일어나 다시 물을 끓였다. 고개를 돌려 멀리 앉아 있는 수사관 쪽을 보니 그는 무표정한 얼굴로 휴대폰을 만지작거리고 있었다.

따뜻한 차를 몇 모금 마신 뒤 나와 수사관은 현씨 부모님 댁을 나왔다. 저녁 식사라도 하고 가라는 그들의 예측 가능했던 제안에 수사관이 먼저 손을 내저었고, 나 역시 쉬고 싶다는 핑계로 거절 의사를 표했다. 무엇을 먹을 기분이 아닌 것 — 과일에는 손도 대지 못했다 — 과는 별개로 내가 할 말은 다 했으니 가족 분들끼리 이야기를 나눌 차례였다.

"잘했어요. 많이 위로가 됐을 거에요."

돌아오는 길에 수사관이 내게 이런 저런 소감 같은 말들을 늘어놓았다. 내가 위로하러 현씨 부모님 댁을 방문한 것은 아니었지만 위로가 됐을 것이라는 말은 나도 조금 납득이 됐다. 이전에도 그들이 나를 걱정한다는 이야기는 수사관을 통해서

전달받았지만 자식을 잃은 부모가 어떤 상태일지는 내가 감히 짐작할 수 없었기에 만반의 준비를 마치고 방문한 것이었다. 정작 그들이 나로부터 기대했던 것은 어떤 종류의 해명도 아니었다. 단지 현씨의 친한 친구에 대해서, 그런 친구가 자신의 아들과 자신의 동생을 어떻게 바라보고 있었는지가 궁금했던 것 같았다. 아니면 그저 내 이야기와는 상관없이 나를 만나는 것 자체에 의미가 있었을지도 모른다.

「이 친구는 내가 아는 사람 중에 가장 예술가에 가까워요.」

현씨에게는 당연히 친구들이 있었다. 그도 자신의 친구들에 관해 세션에서 여럿 언급했고 나 말고도 서로 깊은 대화를 나눌 수 있는 친구도 분명 있었다. 고작 수 개월의 관계뿐인 내가 현씨의 가족을 직접 만나 설명하기까지 한 것은 단지 내가 현씨의 책을 읽었다는 사실 때문이었을 것이다.[63]

결과적으로 위로를 받은 것은 나였다. 가족 분들에게 받은 위로도 아니었고 수사관은 더더욱 아니었다. 내가 다음 단계로 넘어갈 수 있도록 스스로에게 모종의 심리 치료를 받은 것에 가까웠다.

"선생님 집 주소가 어떻게 되죠?"

---

[63] 수사관에 말에 따르면 이 책을 직접 읽은 사람은 현씨의 가족 및 수사팀을 제외하면 내가 유일하다고 했었다. 그럴 수 있다고 생각했다. 책에는 어떤 실제 정황에 대한 묘사보다는 현씨 스스로에 대한 설명만 가득했으니 말이다.

그럴 필요 없다고 답했다. 나는 수사관의 집으로 가는 길 어디든 내려 주면 될 것이라 말했고 그 또한 별다른 대답 없이 경로를 설정했다. 휴대폰에는 현씨 누나의 메세지가 와 있었다. 수고했고 감사하다는, 다소 상투적인 표현이지만 그 이면에는 기력을 상실한 채 현씨를 놓아주어야만 하는 그녀가 주저앉아 있을 것만 같았다. 내가 어떻게 답해야 할지 몰라서 머뭇거리다가 그냥 화면을 꺼버렸다. 말은 이제 불필요한 매체가 됐다는 핑계를 대면서.

"또 봐요. 오늘 수고했어요."

수사관을 또 볼 일이 있을까. 없으면 좋겠는데. 내가 그의 차에서 내릴 즈음에는 벌써 해가 지고 있었다. 그가 전철역 앞에 내려 주었지만 나는 고민하다가 택시를 불렀다. 조용히 집에 가고 싶었다. 택시를 기다리며 눈을 감고 스스로에게 나지막이 속삭였다.

"이제 된 거야."

*

    며칠 뒤 현씨의 누나가 연락을 하고 병원을 찾아왔다. 놀랍게도 그녀가 들고 온 것은 현씨 자택에서 발견됐던 책 원본이었다. 더 놀라웠던 것은 그녀의 제안이었다. 그녀는 책을 내게 건네면서 이 책을 출판하기로 가족들과 상의를 마쳤다며 가출력본에 현씨가 내게 요청한다는 메모가 적혀 있던 세 번째 장 「보편생애: 해제」의 작성을 해줄 수 있겠냐는 것이었다.

    내가 무엇을 어떻게 작성하길 바라는지 묻자 그녀는 내가 현씨 부모님 댁에서 이야기했던 분석 내용 그대로 작성하면 좋을 것 같다고 답했다. 나는 적잖이 당황스러웠다. 갑작스러운 요청에 어안이 벙벙해진 내 모습에 그녀는 머뭇거리다가 설명을 시작했다.

"저도 무리한 요청이라는 건 알아요."

현씨 누나의 말에 따르면 현씨는 책을 출판한 적이 없었다. 대신 그가 평소에 끊임없이 이것저것 만들어 낸다는 사실은 당연히 그녀도 알고 있었으므로 책의 내용과 내 판단대로 현씨가 정말로 이 책을 출판할 계획이 있었다면 그것을 이루어 주는 것이 가족으로서 그에게 해줄 수 있는 마지막 일이라는 것이었다. 그녀를 포함한 현씨의 가족 모두 나의 견해를 전적으로 존중하기로 결정했으며 그에 따라 현씨가 내게 요청한다던 메모의 해석도 나의 것을 따르기로 했으니 내가 현씨의 원고를 완성해 주면 어떻겠냐는 제안이었다.

그녀의 설명에도 나는 여전히 당황스러웠다. 그 제안이 싫은 것은 절대 아니었지만 내게는 충분히 부담스러울 수 있는 일이었다. 안 그래도 주말 이후 연구실 박사님에게 슈퍼바이저가 되어 달라 요청하여 그의 도움으로 심리적인 안정을 취해 가던 상황이었기 때문이다. 동시에 내 안에서는 현씨와 현씨의 책에 대한 내 견해를 적을 수 있다는 사실에 굉장히 반가워하는 마음도 없지 않았다. 게다가 가족으로서 현씨를 위해 할 수 있는 마지막 일이라니. 내가 마음 약해지는 지점을 정확히 파고드는 말이었다.

나는 우선 나의 글 작성 건을 제외하고 출판 방식에 관한 계획을 물었다. 마침 현씨의 누나도 사실 그 부분에 조금 문제가 있다며 상황을 설명했다. 출판은 독립출판으로 직접 진행할 계획이었고 학원 원장님이었던 그녀는 본인이 직접 제작한 교재를 원생에게 합법적으로 판매하기 위해 출판사업자를 별도로 등록한 바 있으므로 절차상의 어려움은 없었다. 대신 현씨가 책을 두고 떠나면서 본인의 모든 디지털 자료들을 말소하는 바람에 파일로 된 문서가 없다는 것이었다.[64] 그래서 원고 자체는 그녀가 직접 다시 작성했지만 책의 디자인을 다시 해야 한다는 것이 남은 과제였다. 그녀 또한 직접 교재를 만들 수 있는 능력이 있으니 직접 하면 되지 않겠느냐 물었지만 그녀는 당신의 동생만큼 섬세하지 못해 자신이 없다고 답했다.

「저희 누나가 그린 그림이에요. 이것도. 잘 그렸죠?」

어리둥절했다. 나는 현씨가 세션에서 입이 마르도록 누나 자랑을 했던 내용을 떠올렸다. 그는 자신의 누나가 피아노 연주에 능하고 그림도 잘 그린다며 몇몇을 직접 내게 보여 주기도 했다. 그녀 또한 명문대를 나와 학원을 차렸다는 사실도 세션에서 현씨를 통해 처음 알게 된 것이었다. 현씨는 어깨를 으쓱이며 그의 누나가 학원 교재까지 직접 작성하고 디자인한다고 말했고 나는 세상에 이런 남매가 다 있나 생각할 수밖에 없었다. 내가 이를 언급하자 현씨의 누나는 멋쩍게 웃으며 현씨가 다 말하지 않았을 것이라 답했다.

---

[64] 그녀는 현씨가 네 부의 인쇄를 맡겼던 인쇄소에도 물어봤지만 해당 인쇄소는 파일을 따로 보관하지 않아서 없다는 답변을 받았다고 했다.

"동생이 하도 깐깐해서 제가 시무룩해진 적도 많아요. 또 들어 보면 맞는 말만 하니까 할 말도 없고. 동생은 저보다 훨씬 더 많은 것을 볼 줄 아는 애였어요. 그런 애가 제 자랑을 했다니 의외네요. 아무튼 지금 동생은 없지만 제가 책 디자인까지 하면 그거 보고 절대로 가만히 있을 애가 아니에요."

그래서 그녀는 디자이너를 섭외하려 한다고 말했다. 나는 여전히 그녀가 직접 한다 해도 ─ 현씨의 책 디자인 구성이 복잡하지도 않으니 ─ 충분히 비슷하게 나올 수준이 될 것이라 여겼다. 게다가 현씨는 자신의 책 디자인에 관해 고민하면서 많은 메모들을 남겼기에 그것을 참고하면 어려울 것이 없지 않겠나 싶었다.[65] 현씨 누나의 말을 듣자 하니 그녀가 현씨의 책 디자인 복각을 포기했던 진짜 이유에는 실제 능력과 상관없이 심리적인 요인이 크게 작용한 것으로 보였다. 따라서 그녀가 직접 디자인하도록 설득하는 것은 불가능했다.

디자이너의 섭외도 문제였다. 대충 섭외했다가는 제대로 해 줄지 확신이 서지 않는다는 것이었다. 나는 곰곰이 생각하다가 아직도 야윈 모습 그대로인 현씨의 누나를 보고 결국 머릿속으로 현씨의 책 출판 프로젝트를 계획했다.

---

[65] 현씨의 메모들이 이후 디자이너의 조판 과정에서 큰 도움이 되었던 것은 사실이지만 이때만 해도 책 디자인에 대해서 잘 몰랐기에 교만하게 생각한 것이었다. 나중에 디자이너와 소통하면서 책의 수많은 디자인 요소들을 확인하고 나서야 그것이 보통 일이 아니라는 사실을 알게 됐다.

"사실 기왕 하는 거니까 겸사겸사 부탁드리는 거지, 부담스러우시면 안 하셔도 진짜 괜찮아요."

이미 내게는 계획이 생겨버렸다. 그녀의 말에 나는 눈을 번쩍 뜨고 역으로 나의 계획과 조건을 제안했다. 요약하면 해당 출판 과정 자체를 내게 일임하는 것. 세 번째 장의 작성도 진행할 것이며 현씨 가족 분들이 향후 내용 검토만 해 달라. 그리고 출판 절차만 현씨 누나가 진행하고 그 제반 자료를 마련하는 것까지 ― 디자이너 섭외, 감독 및 인쇄를 포함하여 ― 내가 하겠다. 대신 나의 이름은 기재하지 않을 것이며 책의 공식적인 저자도 현씨 한 사람으로만 명시한다는 조건을 걸겠다.

눈을 동그랗게 뜬 채 내가 쏟아 내는 말을 듣던 그녀는 말이 끝나자 얼떨떨한 표정으로 고개를 끄덕였다. 내가 해당 과정을 모두 맡겠다고 선언한 것은 단순한 오지랖이 아니었다. 여러 복잡한 것이 얽힌 결정이었지만 가장 큰 것은 역시 처음부터 끝까지 모든 과정을 관할하지 않으면 답답해서 견디지 못하는 내 성격이었다. 어차피 할 것이면 내가 다 하는 것이 차라리 내 심리적 안정에도 덜 방해될 것 같았다. 디자이너의 조판도 내가 눈에 불을 켜고 감독한다면 복각의 질 역시 문제 없을 것이라 여겼다.

그녀는 떠나기 전 큼지막한 선물과 함께 혹 도움이 될까 한다며 현씨의 시집도 내게 건넸다. 어렴풋한 기억 속 시집의 표지가 다시 선명해졌다. 자금의 문제는 조금도 신경쓸 것 없다는 말을 마지막으로 현씨의 누나가 돌아간 후 나는 그녀가 다시 작성했다던 현씨의 책 원고를 메일로 제공받고 계획 실행에 착수했다.

나는 현씨가 요청한 「보편생애: 해제」를 작성함과 동시에 디자이너를 수소문했다. 나의 지인들에게도 묻고 현씨 누나에게 요청하여 현씨의 가까운 친구 몇몇의 연락처도 받아 이들에게 디자인할 사람을 물색하고 있음을 밝혔다. 내가 판단하기에 해당 작업은 일을 뚝딱 끝내버릴 베테랑 디자이너보다 하나에서 열까지 설명 및 소통이 가능한 젊고 열정 넘치는 사람이 맡아야 한다고 생각했고, 여러 사람을 건넌 끝에 내가 원하는 사람을 찾을 수 있었다.

계획은 일사천리로 진행됐다. 나는 내용을 선별하고 수 페이지 분량으로 압축하여 작성한 해제 초안을 현씨 누나에게 보냈고, 분량은 상관없으니 나의 기억을 풀어서 적어 보는 것은 어떻겠냐는 피드백을 받았다. 이에 나는 별도의 소목차를 분리하여 추가 작성을 계획했다.

섭외한 디자이너는 갓 학부를 졸업해서 경력이 화려하진 않았지만 현씨의 친구가 소개시켜 준 덕에 소통이 수월했고 생각보다 꼼꼼하고 실력이 좋았다. 한번은 직접 작업실을 방문했는데 현씨의 메모에 기재되어 있지 않은 수치에 대해 정확한 값을 찾기 위해 숱하게 인쇄하고 대조했던 흔적이 여기저기 널부러져 있었다. 그리고 기대했던 대로 조판에 반영된 요소와 인쇄를 위해 결정할 사항, 그리고 현씨 책의 인쇄 특징까지 차근차근 내게 설명해 주기도 했다.

일련의 과정을 도맡았다는 사실은 당연히 슈퍼바이저에게도 보고했으며 계획을 진행하는 중간 중간 면담도 이어 나갔다. 처음에 박사님은 반복하여 각인되는 암시가 될까 봐 다소 우려를 표했으나 나의 결정을 존중하겠다 밝혔고, 지속되는 면담 과정에서 나와 박사님이 합치에 다다른 의견은 이 과정을 통해서 오히려 내가 더 온전한 수용의 단계에 이를 수 있을 것이라는 기대였다.

실제로도 글을 쓰면서 모든 것이 원래의 일상으로 돌아가는 듯했다. 처음에는 현씨의 글을 머리로 분석했고, 둘째로 그의 가족에게 말했으며, 셋째로 그 모든 과정을 글로 남기는 것으로써 현씨에 관한 어질러진 물건들을 상자에 차곡차곡 정리하고 마침내 뚜껑을 닫아 수납장에 넣게 된 것이었다.

"표지가 좀 허전하길래요."

계획과 일상의 업무가 동시에 진행되고 있던 어느 날, 현씨의 누나가 두 장의 그림을 내게 보내 왔다. 꽃 위로 날아가는 나방의 그림과 추상화에 가까운 사람 얼굴의 그림이었다. 현씨

의 필명과 책의 내용 — 특히「보편변증」— 을 바탕으로 그려
봤다는 그녀는 내게 해당 그림들을 책의 표지나 책날개에 넣
는 것이 어떨지 물었다. 그림은 충분히 좋았는데 그녀의 걱정
은 현씨가 의도했던 디자인과 달라질 수 있다는 것이었다. 사
실 그런 부분은 본래 내가 결정할 수 있는 사안이 아니지만 내
가 쓴 글도 들어가는데 아무렴 어떤가 싶었다. 나는 디자이너
에게 두 개의 그림을 표지와 책날개에 올려서 시안을 보여 달
라 요청했다. 시안을 본 나는 그대로 넣어서 진행하기로 결정
한 뒤 디자이너와 현씨의 누나 각각에 알렸다.

존재공해. — 이명의 시 中.

　한번은 글을 작성하다가 현씨의 시집을 펼친 적이 있었다.
시집에서는 『보편생애』에 그대로 옮겨 사용된 몇몇 문장들과
함께 현씨가 『보편생애』에서 묘사한 자신의 상태와 통하는 표
현들이 발견됐다. 그가 호소했던 "존재의 흔들림"이 대체 언제
부터 현씨를 괴롭혔을지 종잡을 수 없는 것이었다.

　『보편생애』의 가장 첫 페이지에 세로로 적혀 있던 문구도
시집에서 발견됐다. 제목은「걸작의 시詩」. 유독 해당 시에서만
큼은 『보편생애』와 다르게 아름다움이 긍정적으로 묘사되고
있었다. 시에서 탈피의 주체는 '나비'로 설정되어 있는데 번데
기의 외로움을 겪고 세상에 나온 나비의 눈물이 마르면서 날개

가 극도로 아름다워진다는, 상대적으로 밝은 내용이었다. 어쩌면 현씨가 가져온 해당 문장은 "나비가 될 애벌레들 사이의 나방 유충과 같"음을 자각하기 직전의 모습을 묘사하기 위함이었을지도 모른다.

> 앉을만 한 돌에 앉아서
> 말을 하기 시작했다.
> ... [중략] ...
> 돌은 나비가 되지 못한
> 나방을 받아들임에 거리낌이 없다.
>
> ─ 나방의 시 中.

　당연하게도 현씨가 필명을 빌리고 있는 '나방'을 다루는 시 또한 실려 있었다. 나비[정상 개체]던 나방[비정상 개체]이던 상관없이 받아들여 주는 "앉을만 한 돌"은 6년이 지나 「보편생애」 제9장 "장소"에서 현씨의 "타불라 라사", 곧 "디지털 문서"로 구체화됐다. 문서 작성이 끝나고 그것의 장소성마저 사라지면 결국 나비가 되지 못한 자신에게 남는 것은 조용히 소멸할 운명이라는 것. 현씨는 이를 6년 전에 이미 예견한 듯하다. 그는 해당 시의 말미를 다음과 같이 맺는다.

> 나방을 위해 약수를 떴다.
> 돌아오니 나방은 없었다.
>
> ─ 나방의 시 中.

2023년 11월 14일 화요일

현씨의 집을 방문했을 당시 그가 직접 찍은 사진.
잔에 담긴 것은 그가 좋아하던 드라이한 리슬링이다.
이날을 마지막으로 나는 현씨를 두 번 다시 만날 수 없었다.

보편생애 普遍生涯 ──────────

초판 발행 2024년 2월 9일

지은이 현아명
펴낸이 나연·나희

펴낸곳 　도서출판 **구름**
출판등록 2023년 5월 9일 (제2023-000041호)
주소 　서울특별시 서대문구 가좌로 113, 2층 202호
전화 　02-6956-1729

값 　16,000원

© 도서출판 구름, 2024. Printed in Seoul, Korea
ISBN　979-11-986435-1-3　03810